Godfré Ray King:
L'Ascension dans la Lumière

Présentation: Marc Saint Hilaire

Éditions du Nouveau Monde

Dépôt légal, 1994 et 1998:
Bibliothèque nationale du Québec
Bibliothèque nationale du Canada
Bibliothèque nationale de France
Bibliothèque du Congrès (Washington, D.C.)

La couverture représente la Porte ouverte vers l'Ascension. L'illustration qui apparaît au-delà de la Porte est la Charte d'origine de la Présence du Suprême, Celui-qui-Est, Dieu individualisé pour tout être humain, le Soi éternel de chaque être humain, 'Je Suis'. Pour d'autres détails concernant cette Charte d'origine, on peut écrire à l'Éditeur.

Édition originale par Marc Saint Hilaire.
Ce livre contient exactement 144 pages.

ISBN: 2-920684-15-9 Réimpression 2005

Dédicace

Ce livre est dédié avec Amour et Reconnaissance éternelle au Maître d'Ascension Godfré Ray King, Celui qui a transmis dans sa pureté d'origine, sans modifications, l'Enseignement éternel de la Fraternité des Maîtres d'Ascension et des grands Êtres Cosmiques sur la Présence de l'Être Suprême individualisé I AM 'Je Suis', et sur la Victoire de l'Ascension pour tout être humain qui le veut vraiment.

Notre Amour et notre Reconnaissance éternelle va aussi au grand Sanat Kumâra, Celui sans lequel tout était perdu; au bien-aimé Jésus, le Témoin éternel vivant et vrai de l'Ascension; à Marie, sa mère; à l'Archange Saint Michel, Défenseur des Amis de Dieu, et grand Protecteur de la francophonie dans le monde; enfin, au bien-aimé Maître d'Ascension Saint Germain, l'Instructeur de Godfré Ray King et de Lotus, sa compagne éternelle.

Enfin, à Celui-qui-Est-le-Vivant, la Vraie Lumière, la Vie, l'Amour incommensurable, au Suprême des Suprêmes, à l'Être-Source-de-Tout, Créateur et Bienfaiteur éternel de l'humanité, Amour, Hommage et Reconnaissance sans limites pour toujours.

Introduction

es Instructions du bien-aimé Godfré Ray King sont comme des Perles d'or pur: leur Rayonnement pénètre toute la personne. Si le lecteur ou l'étudiant les reçoit simplement; s'il accepte ces Instructions comme étant adressées à lui ou à elle *personnellement;* et s'il cherche, par la lecture du Cœur, à en capter les éléments les plus intérieurs dans le but de devenir une personne plus lumineuse, plus rayonnante, plus sincère et plus pure; alors, la Présence de Celui-qui-Est le Suprême Maître-de-Tout, et les Maîtres d'Ascension déverseront, sur le lecteur et l'étudiant, une Lumière libératrice d'Amour, de Force et d'Intelligence toujours plus grande, peu importent les apparences extérieures actuelles.

Ces Instructions pures du bien-aimé Godfré Ray King sont données pour la première fois en français: la grande Fraternité de Divine Lumière est à l'Œuvre et intensifie plus que jamais son Action rayonnante de Protection, d'Éclairage et de Libération sur ceux et celles qui veulent la Vraie Lumière plus que tout.

Que le lecteur de ce livre soit béni; qu'il lise,

relise et *étudie* sincèrement et profondément l'Enseignement contenu dans ces pages, et le mette en pratique dans sa vie de tous les jours. Alors, il n'aura pas besoin d'autres preuves quant à l'authenticité du Message directement transmis. Car c'est à ses fruits qu'on reconnaît l'arbre, et non pas à ses feuilles (une apparence extérieure). Et les Fruits offerts ici par le bien-aimé Godfré Ray King lui-même sont: Amour divin, Intelligence divine, Protection, Force, Élévation, Victoire; et enfin, Ascension dans la Suprême Présence de Dieu, I AM *Je Suis,* Celui-qui-Est, le Vivant pour toujours.

Comment pourrions-nous exprimer suffisamment de Reconnaissance et d'Amour envers cet Être merveilleux qu'est Godfré Ray King, envers le bien-aimé Saint Germain (le vrai), et envers la Fraternité Éternelle pour cet Enseignement et ce Service qu'Ils rendent pour notre Libération de tous les maux humains? La réponse est claire: en devenant nous-mêmes de plus en plus Lumineux par la mise en pratique des Instructions qu'Ils nous donnent pour notre Éternelle Liberté. C'est la Voie Royale, directe et claire qui conduit au Bonheur indestructible et à la Vie, pour toujours.

Marc Saint Hilaire

Table

DOUZE INSTRUCTIONS DE GODFRÉ RAY KING:

INSTRUCTIONS DU MAÎTRE D'ASCENSION GODFRÉ RAY KING

à

Marc Saint Hilaire

« Dans votre Cœur physique réside la Flamme de Vie de l'Éternel, l'Être Suprême individualisé. »

Godfré Ray King

INSTRUCTION DE GODFRÉ RAY KING

- I -

Vous êtes réellement cet Être Suprême individualisé – Une partie seulement de votre Être Divin se trouve dans votre corps physique – *Je Suis* – Penser, voir, ressentir et parler – Vous avez la capacité de consumer toutes limites humaines.

Le 23 octobre 1993

Enfants bien-aimés de Dieu, Nous désirons que vous compreniez que vous êtes réellement une individualisation localisée de l'Être Suprême, la Source ultime de toute Vie et de tous les Êtres dans tous les Univers physiques et spirituels. Autrement dit, vous êtes réellement cet Être Suprême individualisé qui réside dans cette Octave que Nous appelons Octave des Maîtres d'Ascension, la septième Octave à compter de votre monde physique. Et cet Être que vous êtes vraiment est Celui-qui-Est, I AM *Je Suis*. C'est pourquoi, chaque être humain peut dire et ressentir: *"Je Suis cet Être"*! Comprenez bien que l'être humain n'est pas Dieu, la Source de Tout. Il est une individualisation localisée de cet Être Source, manifestée à un endroit précis de l'Univers. Et cet Être est votre Éternelle Identité: I AM *Je Suis*.

« En tant qu'êtres humains qui n'avez pas encore atteint votre Ascension, une partie seulement de votre Être Divin se trouve dans votre corps physique. Si tout votre Être Réel, qui possède un Corps Glorieux de Lumière Éternelle et Éblouissante la Présence du Suprême I AM *Je Suis*, se trouvait actuellement dans votre corps physique, celui-ci serait totalement Lumineux, Transcendant et Immortel. Ceci vous montre bien, mes Amis, que Dieu n'est pas encore totalement en vous, dans vos corps terrestres.

« La Présence de votre Être Suprême I AM *Je Suis* se trouve au-dessus de votre corps physique, dans Son Octave divine Éternelle. Cet Être Suprême individualisé déverse constamment, pour chacun de vous, pour tout être humain, Sa Pure Lumière qui est la Vie en provenance du Grand Soleil Central, et qui descend dans vos corps terrestres en forme d'un Rayon de pure Lumière Blanche et cristalline qui est La Vie! Cette Lumière Suprême entre dans votre corps physique par le sommet de la tête (le Centre Coronal) et fixe Son ancrage et Son Foyer dans le Cœur physique. C'est ainsi, mes bien-aimés, que dans votre Cœur physique réside la Flamme de Vie de l'Éternel, l'Être Suprême individualisé. Cette Flamme est la Présence de votre Être Suprême dans votre corps, et le Foyer à partir duquel la Vie se diffuse et rayonne dans vos corps terrestres et votre environnement individuel.

« Quand vous dites, pensez ou ressentez *Je Suis* vous mettez en action l'Énergie intensifiée de cet Être Suprême qui déverse alors Son Énergie de Vie là où vous dirigez votre attention par ce que vous dites, ressentez et visualisez. Vous ne pouvez plus vous permettre, mes Amis, de continuer à utiliser ces expressions humaines comme "je suis fatigué, je suis pauvre, je suis malade, je suis triste...", parce que chaque fois que vous ressentez ou que vous prononcez et dites *Je Suis*, vous déclenchez dans votre monde physique la manifestation instantanée de tout ce qui accompagne ce Nom Suprême, même si vous n'en voyez pas les résultats immédiatement. Néanmoins, l'Énergie Divine est mise en mouvement, prête à se manifester.

« Apprenez, dans votre Cœur, à méditer sur ce Nom Sacré de l'Être Suprême *Je Suis* et cherchez à ressentir en vous ce qui se passe quand vous le faites. Progressivement, le sens, toujours plus profond de ce Nom vous sera alors transmis par votre Corps Christique, la Conscience Suprême de Dieu avec vous. Si vous avez à le dire, dites par exemple, et le moins souvent possible: "Pour l'instant, je me sens fatigué", mais n'affirmez jamais en paroles ou en ressenti, que vous l'êtes. Pourquoi? Parce que tout ce que vous dites, tout ce que vous ressentez doit nécessairement se manifester pour vous, dans votre vie, et d'autant plus irrésistiblement que vous vous servez du Nom *Je Suis* ou de l'expression ordinaire "je suis": c'est la Loi de la Manifestation, la Loi de la Puissance Créatrice de l'Être que vous êtes.

« Par ailleurs, si vous ressentez de la fatigue ou quelque limite que ce soit, qualifiez-le toujours par la perception ressentie en vous qu'il ne s'agit que d'une apparence, de quelque chose d'irréel, de temporaire et sans aucun pouvoir, sinon celui d'être consumé dans la Flamme de Dieu en vous et avec vous. Si vous donnez du pouvoir aux limites de votre monde individuel, alors ces choses paraîtront effectivement posséder un vrai pouvoir pour vous limiter et vous perturber. Et comment leur donnez-vous du pouvoir pour agir? Par votre attention, par ce que vous ressentez et par ce que vous dites, par ce que vous verbalisez! Nous vous le disons souvent, intentionnellement: changez le mode vibratoire des énergies qui agissent dans votre monde individuel et dans vos corps par votre attention, par ce que vous ressentez et par les mots que vous prononcez.

« Par ces facultés, penser, voir, ressentir, parler, vous avez créé les limites qui vous lient aujourd'hui; et par ces mêmes facultés, vous avez le pouvoir de les consumer maintenant et pour toujours, sachant que cet Être Suprême en vous et au-dessus de vous est la Puissance infaillible et souveraine de l'Univers qui n'attend que votre sincère collaboration pour vraiment passer à l'action dans votre vie personnelle, dans vos corps terrestres. Car Il ne le fera pas à moins que vous ne le Lui demandiez! C'est pourquoi, mes bien-aimés, votre pratique quotidienne, votre Application consiste à permettre l'amplification soutenue du Rayonnement de cette Suprême Lumière à partir du Centre du Cœur. Actuellement chez les humains, cette Lumière, cette Essence de Vie Éternelle se trouve comme engloutie et voilée par les créations discordantes et obscures du petit moi humain, la fausse identité de l'individu.

« Aussi mes bien-aimés, je désire que vous compreniez l'Essence de l'Enseignement Éternel que Nous vous donnons maintenant pour votre Liberté, et c'est ceci: La Présence individualisée de l'Être Suprême I AM *Je Suis* située au-delà du corps physique dans Son

Octave Divine, EST l'Identité véritable, authentique, indestructible et Éternelle de tout être humain. Autrement dit, chacun de vous EST cet Être et chacun est un Être Divin, individualisé et unique. Par ailleurs, le Corps d'Éternelle Lumière de votre Être Suprême individualisé I AM *Je Suis* est un Corps de Pure Lumière Blanche Transcendante, votre Corps de Vie Éternelle et d'Éternelle Jeunesse, votre Être Véritable.

« Ces Instructions sont précieuses pour vous, mes Amis. Pourquoi? Parce que n'ayant pas encore atteint la Victoire sur les morts répétitives – existence après existence – vous devez nécessairement entrer en contact avec la Réalité de cette Présence de Suprême Lumière, cet Être Glorieux qui se trouve dans vos Cœurs et au-dessus de vous, dans Son Octave Céleste; afin d'atteindre dans cette existence la Victoire que vous désirez: la fin des naissances répétitives dans des corps mortels et limités; l'entrée dans une Vie de Bonheur, de Plénitude et de Splendeur Éternels, dans un Corps d'Éternelle Lumière et d'Éternelle Jeunesse, rayonnant partout où vous irez la Puissance de l'Amour Divin en action et en expansion perpétuelle pour vous-mêmes et pour tous. Tel est le But, mes chers Amis, tel est le Plan Divin du Suprême I AM *Je Suis* pour vous, si du moins vous l'acceptez vraiment.

Aussi, rejetez immédiatement du revers de la main les paroles obscures limitantes, les critiques, les opinions personnelles et les suggestions limitatives de ceux qui essaieraient de vous dire que cette Victoire n'est pas possible pour vous maintenant; ou que Nos Instructions sont irréalistes. C'est plutôt le fait que de nombreux humains se comportent encore comme des entêtés ou des aveugles, qui est vraiment irréaliste!

« Je vous mets en garde, mes bien-aimés, contre la horde de ceux qui cherchent à vous séduire, vous influencer et vous manipuler aujourd'hui! Jamais, ni moi, ni aucun Maître d'Ascension, ni aucun Être de Pure Lumière, ni aucun Ange de Lumière dans l'Univers ne passe par un médium, ni par un individu en transe pour communiquer, jamais! Ceux qui font cela et ceux qui les écoutent se nourrissent d'émanations et d'entités astrales, mes amis, et ensuite ils cherchent à vous faire croire que ce sont des êtres comme Nous ou des êtres lumineux qui leur parlent. Et beaucoup se font encore prendre! Aussi, rejetez ces choses qui n'ont rien à voir avec ce que votre Cœur désire de plus cher: Liberté, Amour divin, Santé, Opulence et Vie Éternelle. Sachez donc clairement que la médiumnité, l'hypnose, les régressions vers les vies passées, l'occultisme, le spiritisme, la transe et toutes ces choses sont aussi éloignées de la Pure Lumière du Christ et des Maîtres d'Ascension que Pluton du Soleil, mes bien-aimés!

« Vous savez peut-être que la Terre quitte la phase occulte depuis 1938 et que vous vous trouvez maintenant dans ce temps de la Nouvelle Dispense. Ce qui veut dire que tout être humain qui est vrai et sincère a la possibilité d'atteindre la Vérité Suprême de son Être directement par Rayonnement de cette Suprême Lumière dans ses corps terrestres, sans avoir à passer par l'ancien labyrinthe occulte ou hermétique. C'est le temps annoncé par ce Jésus merveilleux: "Et le temps arrive où tout ce qui était voilé sera dévoilé; tout ce qui était inconnu sera connu". C'est le temps de l'Ascension accessible pour tout être humain qui veut la Plénitude de la Vie et de la Vraie Lumière pour toujours.

« Une autre fois je vous entretiendrai plus en détails de ces corps terrestres que vous habitez aujourd'hui, afin que vous puissiez plus simplement et plus intensément permettre à cette Lumière qui se trouve dans Notre Octave – l'Octave de l'Être Suprême – de descendre dans vos corps terrestres, et de les rendre aptes à l'Ultime Victoire: votre Liberté de l'Ascension pour toujours. »

« Vous avez la possibilité, si vous le voulez, d'atteindre cette même Victoire que j'ai moi-même atteinte. »

Godfré Ray King

INSTRUCTION DE GODFRÉ RAY KING

- II -

Vous avez la possibilité d'atteindre cette même Victoire que j'ai moi-même atteinte – Dans la phase occulte, cet Enseignement était voilé au grand public – Mon Ascension fut complétée le vendredi 29 décembre 1939 – J'ai choisi le 11 octobre 1993 pour commencer à transmettre en français mes premières Instructions publiques directement à Marc Saint Hilaire – Ce qu'il y a de plus important pour vous, c'est votre préparation en vue d'atteindre votre Ascension.

Le 13 octobre 1993

nfants bien-aimés de Dieu, le Suprême I AM *Je Suis*! Vous êtes réellement enfants de Celui qui est la Source ultime de la Vie. Et par un usage défavorable de votre attention, de vos émotions, de vos désirs, de vos pensées, de votre vision, et de vos paroles, vous avez, dans le passé, généré plus de conditions pour vous éloigner de la Source de votre Être que pour remplir vos corps terrestres de Sa Splendide Lumière d'Amour et de Pureté, la Vie en Plénitude. Maintenant, avec la Connaissance Divine que Nous vous donnons – libre de tout concept humain et d'opinions personnelles – vous pouvez si vous le voulez, atteindre cette même Victoire que j'ai moi-même atteinte en décembre 1939.

« Vous savez peut-être que de 1930 à 1939, je me suis plusieurs fois retrouvé en présence du bien-aimé Saint Germain dans son Corps visible et tangible. Dans le livre *Les Mystères dévoilés,* je relate ma première rencontre avec cet Être merveilleux, à qui nous devons la révélation ouverte et publique de cette Instruction qui, autrefois – dans la phase occulte – était voilée au grand public et seulement accessible dans les loges secrètes de la Fraternité de la Grande Lumière. Rappelez-vous ce que Nous avons toujours dit, depuis le début: il n'existe aucune organisation physique extérieure des Maîtres d'Ascension et ce n'est que par votre attention sur, et votre Amour pour votre Être Suprême I AM *Je Suis,* que vous pouvez entrer dans Notre Octave et, simultanément, par votre Purification de toute création humaine discordante dans votre mental, vos émotions, vos désirs et votre corps physique. Et cela ne peut se faire que par la Puissance en action de la Lumière de Dieu que vous devez appeler, amplifier et rayonner de jour en jour.

« J'aimerais maintenant tourner votre attention vers le mois de décembre 1939, à Los Angeles en Californie du Sud. J'ai pour cette ville un Amour tout particulier, puisque c'est de cet endroit que j'ai eu le Bonheur d'atteindre la Victoire de mon Ascension, laissant derrière moi ma bien-aimée Lotus qui m'a rejoint en février 1971. Vous rappelez-vous la description que je donne, dans *Les Mystères dévoilés,* de ces corps qui avaient été préservés pour Nous au Teton Royal pendant si longtemps? Le mardi 26 décembre, à partir de 23 heures, je me suis retiré de mon corps dense. De là j'ai réintégré le Corps merveilleux préservé depuis si longtemps pour ce Grand Jour. À ce moment-là, commença la phase finale de mon Ascension qui fut complétée le vendredi 29 décembre à 5 heures 21 du matin. Je retirai la Puissance colossale focalisée dans mon corps dense à minuit le 31 décembre 1939. C'est alors, bien-aimés de la Lumière, que ma connexion avec le monde physique fut terminée.

« Ne soyez pas surpris que j'aie fait mon Ascension de cette manière: plusieurs l'ont fait et le feront encore. Pensez simplement à ceux et celles dont les corps sont demeurés intacts depuis des siècles, sans aucun artifice de préservation: ces choses-là existent, sont connues mais généralement pas ouvertement expliquées. Sachez que ceux-là aussi feront leur Ascension de la même manière que je l'ai faite moi-même. Par ailleurs, quand la substance vibratoire de votre monde terrestre aura été davantage purifiée, alors les gens auront le bonheur de commencer à manifester et voir des Ascensions publiques. Vous pouvez aider à la manifestation de ces choses en devenant vous-même de plus en plus Lumière, Amour, Harmonie, Pureté et Sincérité dans votre vie. Et par l'action de la Suprême Lumière qui répond toujours à vos demandes, sachez que votre Ascension à vous aussi, n'est pas éloignée, pourvu que vous la vouliez véritablement et fermement.

« Comment Marc Saint Hilaire peut-il, aujourd'hui enfin, recevoir ces Instructions que je lui communique pour votre plus grand avantage? Cela vient d'une longue préparation antérieure; d'une volonté inflexible pour consumer toutes créations humaines personnelles; d'un désir pur de Servir Dieu-le-Vivant et Son Plan; et d'une relation privilégiée qui nous unit depuis très longtemps. Je ne me suis pas encore manifesté physiquement à lui dans mon Corps visible et tangible. Mais cela ne manquera pas de se faire quand le moment sera venu, quand tout sera prêt. Bien entendu quelques-uns penseront ou diront qu'il ne peut pas recevoir d'Instructions directement de moi, Godfré Ray King. Eh bien justement oui, c'est maintenant chose faite et sachez-le, j'attendais ce moment depuis longtemps. J'ai choisi le soir du 11 octobre pour lui transmettre ces premières Instructions directes; j'ai choisi le jour de votre Action de Grâces. Et ce n'est pas un hasard, mes chers Amis.

« Je transmets mes Instructions à Marc Saint Hilaire directement par l'intermédiaire de son Corps Christique qui descend, recouvre son corps physique et déverse alors directement dans son mental extérieur la Conscience claire, limpide, pure et sans tache de mes Mots. Il n'y a donc aucun concept humain personnel dans ce qui est transmis, car ce sont mes Mots, mes Paroles, mon Instruction, ma Conscience et mon Rayonnement personnels qui se déversent par ces Mots. Ceux qui seront vigilants, sincères, aimants et vrais dans leur Cœur ne manqueront pas de reconnaître la Vibration spécifique de mon Être. Et ne croyez pas que cette préparation dont j'ai fait mention soit simplement une préparation de trente trois années dans cette existence; c'est une préparation qui remonte à beaucoup plus loin. Par ailleurs, et pour éliminer toute confusion et toute supercherie, sachez clairement, mes bien-aimés, que je ne transmettrai aucune Instruction en français à personne tant et aussi longtemps que Marc Saint Hilaire aura cette fonction à remplir. Croyez-vous que Nous, les Maîtres d'Ascension, allons semer la confusion, le désordre et la contradiction parmi nos amis, lecteurs ou étudiants? Jamais! Nous avons contacté, en mai 1983, Marc Saint Hilaire pour diffuser en français cet Enseignement d'origine. Et il assumera cette fonction jusqu'au moment de son Ascension. Cela est clair, vrai, pur; alors, ne vous laissez pas tromper par les faussaires ou les détracteurs afin qu'ils ne vous enferment pas dans leurs filets.

« Maintenant, rappelez-vous toujours ceci, mes amis: ce qu'il y a de plus important pour vous, en tant qu'être humain, c'est votre préparation en vue d'atteindre vous aussi votre Ascension. Et cette préparation se fait de jour en jour, dès aujourd'hui. Enfants bien-aimés de Dieu: ne remettez pas à demain ce que vous pouvez faire *aujourd'hui* pour amplifier l'action de la Lumière de l'Être Suprême en vous. Vous ne savez pas ce que demain peut vous apporter, dans votre vie individuelle ou dans votre vie collective et planétaire. Non pas que Nous voulions vous intimider en aucune façon. Mais, connaissant les tensions d'énergie qui agissent actuellement dans votre monde humain, je vous le dis encore: ne remettez pas à demain l'Application quotidienne que vous pouvez établir dès maintenant dans votre vie de tous les jours. Vous vous rappellerez mes Mots, mes amis! Et je souhaite qu'alors il ne soit pas trop tard.

« Jamais ne pouvons-Nous interférer dans votre liberté de choix, jamais! C'est à vous de choisir ce que vous voulez faire de l'Énergie, la Vie de Dieu qui coule en vous, à chaque instant de chaque jour. Ou bien vous amplifiez maintenant – dans l'Humilité du Cœur – cette Lumière de l'Être Suprême en vous et avec vous, dans votre vie personnelle, ou bien vous vous laissez aller et soyez certains qu'alors ce sont les énergies humaines destructrices qui prendront le contrôle de votre existence et de vos corps. Ne pensez pas que vous soyez au-dessus de ces choses, car elles agissent pour tous les humains, sans exception, qui que vous soyez ou qui que vous pensiez être. Aussi, ne vous trompez pas vous-mêmes, mais choisissez ce qui est bon pour vous et pour tous sans exception: Dieu, Son infaillible Lumière, Sa Présence Glorieuse I AM *Je Suis* en vous et au-dessus de vous, Celui qui fait battre vos Cœurs!

« C'est pour cela que Nous appuyons totalement la diffusion du Cours *Renaître à la Lumière* que Marc Saint Hilaire dispense sans répit, afin que vous ayez accès à l'Enseignement Pur, et que vous puissiez le pratiquer individuellement dans votre vie de tous les jours. Je vous encourage donc, bien-aimés, à approfondir l'étude et la pratique des Instructions pures et claires que Nous vous donnons, afin que vous deveniez rapidement de véritables générateurs de Lumière Divine dans tout ce que vous dites, faites, ressentez et pensez, et qu'ainsi la Victoire de votre Ascension puisse se manifester pour vous dans cette existence, tout comme ce fut le cas pour moi en ce jour merveilleux du 29 décembre 1939. Je vous couvre de mon Manteau de Lumière Or, et je vous place entre les Mains de Ceux qui agissent continuellement pour votre Éternelle Liberté: les Anges de Lumière, la Fraternité des Maîtres d'Ascension et les grands Êtres Cosmiques, et particulièrement le Puissant Sanat Kumâra. »

« Quand ce qui est en bas devient de plus en plus Lumineux et Rayonnant de Vie Divine, alors, ce qui est en bas et ce qui est En-Haut redeviennent UN pour toujours. »

Godfré Ray King

INSTRUCTION DE GODFRÉ RAY KING

- III -

Une influence karmique planétaire – L'action des Anges de Lumière – l'Illustration d'origine de la Présence de l'Être Suprême I AM *Je Suis* – Votre Corps Christique – Ce qui est en bas et ce qui est En-Haut redeviennent UN pour toujours.

Le 1er novembre 1993

ien-aimés de la Lumière de Dieu, je désire maintenant tourner votre attention sur cette Illustration d'origine qui a été transmise par ces Maîtres d'Ascension qui aujourd'hui encore œuvrent pour votre Libération. Cette Illustration[1] est la représentation visuelle juste et réelle de la relation qui existe entre vos corps terrestres et le Corps Glorieux de Pure Lumière éblouissante de la Présence de l'Être Suprême individualisé pour chacun de vous au-dessus de vos corps humains, dans Son Octave de Vie Éternelle, audelà des mondes invisibles que certains appellent astral. Vous savez que dans le plan astral – le monde invisible situé entre la surface de la terre et les octaves de pure Lumière – se trouvent les accumulations karmiques discordantes de l'ensemble de l'humanité.

C'est dans ce monde que se trouvent les couches contenant les énergies d'actions, d'émotions, de désirs, de sentiments et de pensées non lumineux et donc destructeurs de l'ensemble de l'humanité. Ces miasmes karmiques non purifiés cherchent continuellement à influencer les humains et à les faire parler, agir, désirer, ressentir et penser selon un schéma qui n'a vraiment rien de Divin; rien qui appartienne à la Conscience Christique, rien qui soit de Notre Octave de Maîtres d'Ascension.

« C'est pourquoi, mes bien-aimés, il est primordial pour chacun et chacune de vous de prendre maintenant conscience de l'importance d'entrer sans délai dans votre Application spirituelle quotidienne, afin que ces choses qui flottent constamment dans l'atmosphère qui vous environne, aient sur vous une influence de plus en plus faible; jusqu'au moment où suffisamment de cette Pure Lumière de votre Être Suprême rayonnera et vous gardera de ces choses qui cherchent à enfermer l'humanité dans l'ignorance de la Loi de Vie; et cette Splendeur Divine doit se manifester pour vous, pourvu que vous centriez votre attention à la bonne place à chaque instant. Trop peu de gens prennent conscience de l'Œuvre colossale de purification que font les Grands Êtres Cosmiques, les Maîtres d'Ascension et les Légions de Lumière pour l'humanité de votre Terre et pour la Terre elle-même. Par exemple les Anges de Lumière sont constamment à l'Œuvre pour purifier les couches obscures de ce plan astral que les humains continuent néanmoins de contaminer par la multitude de leurs actes, de leurs paroles, de leurs désirs et de leurs pensées grisonnantes et obscures.

« Tout ce qui ne rayonne pas la Pureté de la Lumière de votre Être Suprême dans les actes, dans les paroles, dans les désirs, dans les émotions, dans les imaginations et dans les pensées, produit des émanations énergétiques destructrices pour ceux qui les génèrent et pour l'ensemble de la race humaine; à moins que les individus, prenant conscience de leurs erreurs, se décident à changer, à remplir leurs corps terrestres de la Pure Lumière de Dieu et demandent l'action de la Loi Universelle de Pardon pour purifier toutes créations personnelles discordantes, c'est-à-dire, non Divines. Tant qu'un être humain refuse de faire cela, il subit nécessairement le retour inexorable de son karma discordant antérieur et subit, par le fait même, l'influence globale de cette masse énergétique obscure – l'inconscient collectif du plan astral – qui tient les gens enchaînés à la souffrance, à l'imperfection et à la mort, existence après existence. Nous sommes ici pour vous dire ces choses, mes amis, afin que vous puissiez choisir de manière éclairée comment vivre au milieu d'un monde qui a globalement rejeté la Vie Divine, pour l'instant du moins.

« Sur l'Illustration de la Présence *individualisée* de l'Être Suprême I AM *Je Suis,* vous voyez la représentation de cet Être Transcendant dans Son Corps d'Éternelle Jeunesse, votre Être Réel: I AM *Je Suis* cet Être, chacun de Nous, chacun et chacune de vous! La forme du bas représente les corps terrestres (physique, vital et mental) et l'ensemble est baigné dans cette Flamme Violette de transmutation à laquelle il est fait allusion dans le chapitre cinq du livre *Les Mystères dévoilés*. Cette Flamme qui est Pure Lumière Divine en action s'élève à travers vos corps terrestres, à partir de vos pieds jusqu'au-dessus de votre tête, afin de pénétrer aussi tout le mental humain. Autour du corps physique et pénétrant également les corps terrestres, vous voyez la Colonne de Lumière Blanche Cristalline qui descend du Cœur de votre Être Suprême et vous apporte la Protection dont vous avez besoin pour continuer votre route vers votre Victoire de l'Ascension.

« Entre les corps terrestres et le Corps Glorieux de votre Être Suprême se trouve le Corps de votre Mental Suprême, le Corps du Mental Divin, aussi appelé le Corps Christique. Ce Corps Christique – individualisé pour tout être humain, mais non représenté sur l'Illustration à la demande du bien-aimé Saint Germain Lui-même – agit comme intermédiaire, comme Médiateur entre l'Être Suprême et vos corps terrestres. Cet Être Christique EST l'Intelligence Cosmique Absolue de l'Être Suprême et il attend que suffisamment d'Harmonie, de Pureté et d'Amour Divin rayonnent dans la personnalité terrestre pour manifester dans la conscience mentale et les corps terrestres la Plénitude de Sa Paix indescriptible, de Sa Conscience Cosmique et de Son Bonheur Transcendant.

« Voyez-vous, mes amis, il s'agit de cette Éternelle Trinité de l'Être Suprême, du Corps Christique et de Sa Présence dans le Cœur physique. Ces Trois sont UN, un seul Être individualisé en tous et pour tous! Il s'agit de l'expression du même Être à différents niveaux ou Octaves de manifestations. Le Corps Glorieux de l'Être Suprême réside dans la Septième Octave, à compter de votre plan physique; c'est Notre Octave de Vie Éternelle, celle des Maîtres d'Ascension. Le Corps du Mental Suprême de Dieu, le Corps Christique, réside habituellement dans la Cinquième Octave. La Présence du Suprême dans votre corps physique est localisée dans le Cœur, au niveau du ventricule gauche.

« Comprenez-bien, mes amis, que la Présence de votre Être Suprême I AM *Je Suis* ne descend pas dans le monde physique actuel. C'est la fonction spécifique du Corps Christique de descendre dans les plans terrestres, afin de sauver l'être humain de son identité illusoire et lui permettre de retourner à la Maison de son Être Réel et Éternel, Celui-qui-Est, *Je Suis*, I AM! Votre Corps Christique se rapproche progressivement de votre corps physique (sommet de la tête) grâce à la Purification qu'opère la Lumière Rayonnante du Suprême dans votre Cœur par votre Application quotidienne.

« Tout ce que je vous dis, mes bien-aimés, est vrai, réel, éternel, véridique, véritable et vérifiable! Et comme il a été dit dans le passé, durant la phase hermétique: 'Ce qui est en bas est comme ce qui est en Haut'. Eh bien! Aujourd'hui il est permis de dire ouvertement ceci: quand ce qui est en bas devient de plus en plus Lumineux et rayonnant de Vie Divine, alors ce qui est en bas et ce qui est En-Haut redeviennent UN pour toujours. Tel est le résumé de l'Œuvre d'Ascension, mes bien-aimés, une réalité accessible pour tous ceux qui sont sincères et humbles de cœur, car sans cette

Humilité du Cœur, les humains sont pris et enfermés dans l'orgueil et la vanité de l'ego qui saccage tout et ruine tout. J'ai confiance que vous ferez plus que lire mes Mots; que vous les étudierez avec le Cœur, que vous les boirez jusqu'à vous enivrer du Nectar Divin Lumineux et Pur qu'ils contiennent pour vous et pour tous ceux qui aiment la vraie Lumière plus que tout. »

Note 1: L'Illustration mentionnée à la page 32 est également appelée la 'Charte' *d'origine* de la Présence du Suprême I AM *Je Suis*. Elle a été publiée pour la première fois par Godfré Ray King. Elle est disponible lors du Cours pratique *Renaître à la Lumière*.

« Cet Être est votre Réelle et Éternelle Identité, un Être d'Éternelle Jeunesse qui est toute Lumière. »

Godfré Ray King

INSTRUCTION DE GODFRÉ RAY KING

- IV -

Cette Application que Nous vous avons donnée depuis le début. Votre Être Suprême I AM *Je Suis*, le Seul qui puisse vous libérer – Cette Victoire, la même que Jésus offre au monde depuis deux mille ans – Changez de programme – Nous présentons la Loi de Vie dans son aspect Universel.

Le 11 octobre 1993

e savez-vous pas, enfants de Dieu, que tant que vos corps terrestres ne sont pas pleinement remplis de cette pure Lumière de l'Être Suprême I AM *Je Suis*, vous devez retourner encore et encore dans un corps mortel et limité, dans un monde de souffrance, de maladie, de guerres et de mort? Et ces choses n'existent qu'à cause du fait que jusqu'à maintenant, ou vous aviez rejeté cette Suprême Lumière et Nos Instructions; ou vous ne les aviez acceptées que partiellement et avec inconstance et manque de profondeur. C'est pourquoi, quand vous choisissez de rentrer dans la plénitude de cette Divine Lumière et de cette Vie Éternelle qui se trouvent dans Notre Octave, vous devez absolument entrer dans l'Application vécue

et ressentie des Instructions que Nous vous donnons pour votre Victoire. Or, quelle est cette pratique, cette Application que Nous vous avons donnée dès le début et qui est la Science Suprême de l'Ascension? Cette pratique fondamentale la voici: premièrement, un AMOUR ressenti, entretenu et cultivé pour la Présence de Dieu l'Être Suprême en vous dans le Cœur et au-dessus de vous, I AM *Je Suis*; deuxièmement, la pratique quotidienne de la Méditation dans le Cœur, telle que je l'ai transmise dans le chapitre un du livre *Les Mystères dévoilés*; troisièmement, la pratique des Appels à votre Être Suprême avec la compréhension qui vous est donnée dans le Cours *Renaître à la Lumière*; quatrièmement, la rectification du moi humain personnel qui doit être lavé de son karma discordant, de son ego et de ses attachements illusoires.

« À ceux et celles qui feront cela, qui feront leur Application de jour en jour avec Amour, avec constance et détermination, indépendamment des circonstances, à ceux-là, la Victoire sur la soi-disant mort est certaine, dans cette existence. Il s'agit de permettre, par la puissance de l'Amour Divin ressenti, par votre attention, votre vision et votre parole, de permettre la manifestation dans votre vie, de la Pleine Lumière de votre Être Suprême I AM *Je Suis*, Le seul qui puisse vous libérer de tout ce qui vous a tenu enchaîné à l'illusion, à la souffrance et à l'imperfection pendant des siècles et des millénaires. Nous pouvons vous apporter une aide énorme mais seulement si vous placez votre Être Suprême bien-aimé à la première place. Alors tout le reste finira, sans tarder, par se mettre en ordre, en vous et autour de vous, et toujours par l'action irrésistible de l'Amour Divin en expansion: car pour Dieu, il n'y a rien d'impossible. Aussi, ne doutez plus et sachez que cet Être Est votre Réelle et Éternelle Identité, un Être d'Éternelle Jeunesse qui est toute Lumière, toute Pureté, tout Amour, toute Intelligence et toute Puissance. Et ces Qualités doivent se manifester tôt ou tard dans votre Vie, dans vos corps et dans votre expérience personnelle, si du moins vous savez et acceptez qui est la Source de toutes ces splendeurs: Dieu-le-Suprême I AM *Je Suis*, et non pas le petit ego personnel et limité.

« En tant que Celui que le bien-aimé Maître d'Ascension Saint Germain a choisi dès le début pour communiquer et rayonner cette Instruction sublime sur la Présence individualisée de l'Être Suprême I AM *Je Suis*, je vous dis que beaucoup aujourd'hui sur votre Terre parlent au Nom du Christ et des Maîtres d'Ascension, sans que cela soit authentique. Ceux qui éviteront de vous parler de la Pureté des corps et de la Pureté du cœur, sachez déjà qu'ils ne sont pas avec Nous! Ceux qui cherchent à vous limiter l'accès à cette Connaissance d'origine, ne peuvent pas être Nos associés. Et je puis vous assurer, avec la toute Puissance de Dieu contenue dans mon Cœur et dans tout mon Corps, que ceux et celles qui s'imprègneront de *l'Instruction d'origine des Maîtres d'Ascension* telle que je vous l'ai donnée dès le début, et telle que ce bien-aimé Marc Saint Hilaire vous la transmet aujourd'hui – sans concepts humains personnels – ceux qui font cela gagneront rapidement leur Éternelle Liberté.

« Vous ne savez pas encore qui est Marc Saint Hilaire, ni quelle a été ma relation de Service et d'Amitié avec lui dans le passé durant plusieurs millénaires. Et c'est sa Loyauté éprouvée, en dépit des obstacles, qui lui permet d'avoir Notre confiance aujourd'hui. Et je vous dis que dans cette existence, cet Ami et Allié des Maîtres d'Ascension a enfin gagné des Victoires qui, pour la plupart auraient demandé encore plusieurs existences supplémentaires. Comment gagner de telles Victoires sur le petit moi humain? Par un Amour inconditionnel pour Dieu le Suprême; par une détermination inflexible en dépit des obstacles; et enfin, par une Application soutenue et une Confiance absolue envers le Plan Divin et ceci malgré toute opposition karmique intérieure ou extérieure. Je vous le dis, mes Amis, avec une telle attitude, tout est possible pour celui qui veut atteindre cette Victoire que Nous vous offrons, la même que Jésus offre au monde depuis deux mille ans. Ne pouvez-vous, vous aussi, atteindre une telle détermination? Bien sûr que oui, chacun d'entre vous. Vous le pouvez si seulement vous le désirez vraiment. Et c'est par la pratique que vous exprimez le degré de votre désir, de votre sincérité et de votre Amour.

« Rappelez-vous ceci, bien-aimés de la Lumière. Vous manifestez aujourd'hui dans vos vies, ce que vous avez fait, dit, regardé, écouté, désiré, ressenti et pensé hier. Et si ce que vous manifestez aujourd'hui ne correspond pas à vos attentes les plus chères et les plus profondes, alors, changez de programme! Changez la fréquence vibratoire de l'énergie et de la substance qui se trouvent dans vos corps terrestres. Et d'une vibration trop lourde et trop obscure, passez à la vibration la plus haute, la plus pure, celle de la Lumière de votre Être Suprême qui contient pour vous *maintenant* tout ce que votre Cœur désire de plus cher, de plus divin, de plus précieux. Pouvez-vous accepter cela en Plénitude, le Ressentir intensément, et centrer votre attention sur la Splendeur de l'Être Suprême que vous êtes vraiment; au lieu de vous laisser tromper et limiter par les apparences d'imperfections humaines, les vôtres ou celles de n'importe qui? Dans la mesure où vous vous entraînez à Ressentir la quiétude, à entrer dans la Paix et le Silence du Cœur, à visualiser et à appeler cette Plénitude d'Amour divin et de Pureté divine, de jour en jour, vous ne pouvez faire autrement que de la manifester dans vos corps et dans votre monde individuel.

« Voyez-vous, les humains sont facilement prêts à accepter les lois d'énergie dans le monde physique, que ce soit pour l'électricité, l'atome, la gravitation, etc... Mais dès que Nous présentons la Loi Divine dans son aspect Universel – et non seulement physique – alors, beaucoup haussent les épaules, tournent la tête et s'en vont ailleurs. Et, remarquez qu'il est préférable d'agir ainsi pour ceux qui refusent la Loi de Vie. Mais ceux qui la refusent ou l'acceptent seulement en partie et qui ensuite Nous critiquent ou critiquent ceux que Nous avons choisis; ces langues génèrent un venin mortel qui empoisonne, emprisonne et enchaîne leurs auteurs et ceux qui les écoutent. La Loi karmique d'action et de réaction est aussi précise, exacte que n'importe laquelle de vos lois de l'électricité, mes amis! Alors que personne ne se pense au-dessus de ces choses. Ceux qui vous disent qu'il n'y a pas de karma ou plus de karma pour vous ou pour eux-mêmes, ceux-là vous ont déjà trahi avant même d'avoir ouvert la bouche. Fuyez-les vite, avant qu'il ne soit trop tard pour vous.

« Sachez donc mes bien-aimés, que tout est régi par la Loi Divine de la Vie de Dieu le Suprême I AM *Je Suis,* et que cette Connaissance ouverte et directe de la Loi de Vie telle que Nous l'avons enseignée publiquement depuis le début, est Une, Éternelle, Universelle et Absolue. Il ne s'agit pas de dogmes, de systèmes, de croyances, de doctrines ou de religions nouvelles. Certainement pas! Il s'agit de la Connaissance pratique de la Loi de l'Être, de Sa Vie et de Ses manifestations, depuis les Mondes Cosmiques les plus Merveilleux jusqu'aux mondes physiques les plus denses; de la Connaissance pratique du Nom Suprême I AM *Je Suis* et de son application par la personne humaine; de la Connaissance pratique du But ultime pour tout être humain: l'Ascension dans le Corps Éternel de l'Être Suprême I AM *Je Suis*. Et sachez que personne avant 1934, n'avait jamais révélé publiquement au monde cette Connaissance qui était demeurée scellée et occulte depuis la chute de l'Atlantide.

« La première Loi de l'Univers est l'Ordre: tout est régi par la Loi de Vie, et cette Vie c'est l'Amour de l'Être Suprême I AM *Je Suis* en action, c'est-à-dire, le Rayonnement de Sa Suprême Lumière en expansion perpétuelle qui manifeste Êtres et Mondes. Tout ce qui s'oppose à cette Loi d'Amour doit nécessairement expérimenter la souffrance et la mort afin de prendre conscience que cette opposition au Plan d'Amour de l'Être Suprême, est une erreur à corriger. Par contre, en devenant la Plénitude de la Lumière de votre Être Suprême I AM *Je Suis* en action, vous recevez dans vos corps terrestres cette Vie en abondance et finalement la Suprême Liberté que votre Cœur désire. Aussi, comme je l'ai déjà dit dans mon introduction du livre *Les Mystères dévoilés*: lisez, relisez, étudiez et mettez en pratique dans votre vie individuelle les Instructions que Nous vous donnons. Alors vous deviendrez, dans cette existence, la Plénitude de cette Divine Lumière, pour l'Éternité. Très chers Amis, je vous enveloppe de mon Amour, de ma Protection, de ma Paix et de ma Lumière, maintenant et pour toujours. »

« Cette Suprême Lumière de Dieu en vous et au-dessus de vous est ce qu'il y a de meilleur et de plus désirable pour tout être humain. »

Godfré Ray King

INSTRUCTION DE GODFRÉ RAY KING

- V -

Vos corps terrestres sont au nombre de quatre – On devient cela sur quoi on place son attention – Cette Suprême Lumière de Dieu est ce qu'il y a de meilleur pour tout être humain – Appelez-Le, cet Être Suprême, cet Être Christique.

Le 5 novembre 1993

nfants bien-aimés de Celui qui Est la Source, l'Origine et la Destination ultime de tout être humain, je désire aujourd'hui vous transmettre une meilleure compréhension de ce que sont vos corps terrestres. Vous le savez, vos corps terrestres sont au nombre de quatre: le corps physique dense; le corps physique subtil ou corps éthérique; le corps vital, parfois appelé corps des émotions, corps du désir ou corps des sentiments; et le corps mental. En tant qu'être humain en incarnation, vous fonctionnez actuellement avec ces corps terrestres dans trois octaves: l'octave physique, l'octave des émotions, désirs et sentiments, et l'octave du mental humain, le monde de la pensée. Ces corps terrestres, comprenez-le bien, sont simplement des organes d'action et d'expression dans chacune de ces octaves du monde terrestre. Ces corps sont des instruments d'expression du moment. Ils n'ont rien à voir avec votre Réelle et Éternelle Identité. Car vous êtes cet Être Suprême individualisé I AM *Je Suis*, le Soi Éternel, et non pas ces corps temporaires. Et la raison pour laquelle l'être humain vit dans la dualité de la souffrance et de la mort, est que ses corps terrestres ne contiennent plus suffisamment de cette Divine Lumière, la Vie en provenance de la Présence individualisée de l'Être Suprême.

« Pourquoi cette Divine Lumière a-t-elle atteint un si bas niveau dans les corps terrestres de la majorité des humains, au point que, depuis des millénaires et des millénaires, ils expérimentent encore souffrances et morts? Parce qu'ils ont détourné leur Attention et leur Amour de l'Unique Source inépuisable de toute Vie, de toute Paix, de toute Opulence qu'est leur Être Réel, Dieu, le Suprême en eux et au-dessus d'eux. C'est pourquoi, mes bien-aimés, Nous vous transmettons ces Instructions Pures et puissantes, afin que tous ceux et celles qui veulent retrouver et manifester leur Divine Nature dans leurs corps terrestres, puissent mettre en application cette Science merveilleuse de l'Être Suprême I AM *Je Suis*, qui est la Liberté Totale de tout être humain qui la mettra en pratique. Et ainsi, chacun recevra les preuves dont il a besoin.

« Et s'il est une chose absolument fondamentale pour chacun de vous, mes amis, c'est la compréhension et la pratique de la Science de l'Attention. Car sa vraie connaissance mise en pratique est la Victoire certaine pour tout être humain qui ne l'oubliera pas et ne l'abandonnera pas. Et c'est la pratique constante de la *distraction* qui est la source de tous les maux et de tous les problèmes humains. C'est pourquoi, depuis le tout début Nous vous avons dit et Nous vous disons encore: *on devient cela sur quoi on place son attention*. La Science de l'Attention est une pratique qui demande de la persévérance parce que l'attention de la majorité des humains a longtemps été conditionnée à se diriger sur tout ce qui est moins que la Splendeur de la Perfection Divine de l'Être Suprême. Conséquemment, l'humanité en général exprime tant d'imperfections dans leurs corps physiques, dans leurs émotions, leurs désirs, leurs sentiments et leurs pensées; ce qui, par voie de conséquence, se répercute dans leur monde individuel et leurs civilisations. Et cela, siècle après siècle, millénaire après millénaire! Les humains veulent-ils maintenant changer de programme et tendre l'oreille du Cœur à ce que Nous disons, Nous qui sommes aujourd'hui totalement Libres de ces choses?

« Celui qui désire la Perfection Divine et la Splendeur véritable et indestructible dans ses corps terrestres et dans son vécu doit, nécessairement, placer son Attention sur la Source indestructible et inépuisable de cette Perfection et de cette Splendeur. Vous le savez, mes amis, il n'est qu'une Source dans l'Univers qui soit l'Origine et la Cause ultime de la Splendeur Éternelle de la Vie, et c'est Dieu Le Suprême, Celui-qui-Est Maître-de-Tout, l'Être Véritable que chacun Est, la Source absolue de toute Vie, de tout Amour, de toute Lumière, de toute Puissance, de toute Intelligence et de toute Opulence. C'est pourquoi cette Suprême Lumière de Dieu en vous et au-dessus de vous est ce qu'il y a de meilleur et de plus désirable pour tout être humain, indépendamment de ses croyances, de ses idées, de sa race, de son instruction, de son âge ou de quoi que ce soit.

« C'est la raison pour laquelle, mes amis, l'Instruction que je vous ai transmise sur la Méditation est si fondamentale pour vous, puisque par cette pratique vous vous habituez à recentrer constamment, de jour en jour, votre attention sur la Lumière de la Présence de l'Être Suprême dans vos Cœurs; et ainsi, vous redevenez véritablement de plus en plus semblables à cet Être de Pure Lumière, même si parfois les apparences semblent vouloir vous dire le contraire. Et c'est justement là qu'il faut ne pas vous laisser prendre au piège: car si vous laissez votre attention se focaliser sur les obstacles et les imperfections, vous faites exactement le contraire de ce qui vous remplit de Lumière quand vous centrez votre attention sur cette Présence de Pure Lumière de Vie. Vous devez donc demeurer absolument positif face à vos limites du moment – des apparences – au lieu d'en parler et de leur donner ainsi encore plus de pouvoir. Et ne vous laissez jamais aller au découragement, jamais. Vous avez choisi votre Ascension, alors, tenez-vous debout et avancez!

« Par conséquent, vous avez besoin de devenir de plus en plus conscients de ce qui se passe pour vous dans vos énergies mentale, vitale, émotionnelle et physique. Vous avez besoin de prendre conscience à chaque instant de votre attention, de ce que vous regardez, de ce que vous ressentez, de ce que vous dites, de ce que vous écoutez et de ce que vous faites. Et si vous identifiez un élément de discorde qui agit en vous ou autour de vous, détournez votre attention de ces choses, de ces paroles, de ces mémoires, de ces désirs, de ces images et centrez immédiatement votre attention dans la Lumière du Cœur, la Demeure dans votre corps physique de ce Suprême Bien- Aimé qui est l'Harmonie Absolue de l'Univers. *Appelez-Le!* Appelez la Présence de cet Être Suprême I AM *Je Suis* au-dessus de vous et demandez-Lui de vous remplir de Sa Lumière qui harmonise tout et qui purifie tout. Faites-le à chaque fois, et voyez comment Sa Puissance d'Amour se manifestera pour vous, en chaque occasion, pourvu que vous demeuriez positifs, harmonieux et que vous centriez votre attention sur cette Lumière de Dieu; et non pas sur les circonstances, les endroits et les personnes, à moins que ce soit pour les remplir de Lumière.

« Aussi, entraînez-vous à ramener votre Attention sur cette Présence de Suprême Lumière qui se trouve à l'intérieur de vous – dans votre Cœur – et au-dessus de vous, et voyez combien Sa Bonté, Son Amour, Sa Puissance et Sa Lumière viendront vous libérer de toutes ces choses qui ne sont que les restes de karmas anciens que vous n'aviez pas purifiés. L'infaillible Présence des Maîtres d'Ascension est avec vous, toujours. »

« C'est pourquoi la véritable Méditation est un Repas de Lumière qui nourrit vos corps terrestres, les revitalise, les purifie et les élève progressivement à la vibration du Corps Christique. »

Godfré Ray King

INSTRUCTION DE GODFRÉ RAY KING

- VI -

La Présence de Dieu dans votre Cœur – La véritable Méditation est un Repas de Lumière – Ce n'est que par la pratique que vous pouvez atteindre cette Maîtrise que Nous connaissons aujourd'hui – L'action du Pardon divin est impérative – Méditer est nécessaire mais ne suffit pas – C'est cela votre vrai pays: le Pays de l'Éternelle Jeunesse.

Le 14 octobre 1993

nfants de la Terre, filles et fils du Très-Haut Dieu Vivant, Celui-qui-Est l'Éternel I AM *Je Suis*, en vous et au-dessus de vous, votre Être Réel, le Suprême Seigneur des Univers visibles et invisibles! Voulez-vous bien tourner votre attention vers le Centre du Cœur, au milieu de la poitrine, alors que je vous donne ces Mots? Vous le remarquerez: chaque fois que vous faites quelque chose, quoi que ce soit d'harmonieux, simultanément vous avez la capacité de placer votre attention sur la Lumière, la Présence de Dieu dans votre Cœur. Si vous vous entraînez à le faire et si vous le faites dans votre vie de tous les jours, vous remarquerez que progressivement vous ne connaîtrez plus ce que les gens appellent "fatigue". Pourquoi? Simplement parce qu'en plaçant votre attention et votre Amour sur cette Présence de Suprême Lumière dans votre Cœur, alors vous amplifiez le Rayonnement de Sa Lumière qui est l'Énergie Divine de la Vie. Ainsi, au lieu de puiser dans votre réserve limitée d'énergie personnelle contenue dans votre aura, vous vous alimentez – par votre attention et votre Amour – à cette Source inépuisable de la Vie qu'est cet Être en vous et avec vous. C'est pourquoi la Méditation que je vous ai rapportée dans *Les Mystères dévoilés* est tellement importante pour vous dans votre Application de tous les jours.

« Vous savez, bien-aimés, lorsque vous méditez ainsi, vous vous nourrissez Réellement de la Lumière de Dieu le Suprême qui est la Vie en vous et au-dessus de vous; quand vous méditez ainsi, vous buvez à cette coupe d'Or pur qui contient la Lumière liquide de la Vie Divine en provenance de votre Corps Christique. Il s'agit là véritablement du Corps et du Sang du Christ Vivant – un Corps de Pure Lumière d'Or igné – dont la Tradition vous a entretenu pendant de nombreux siècles, même si vous ne l'aviez pas exactement compris. C'est pourquoi la véritable Méditation est un Repas de Lumière qui nourrit vos corps terrestres, les revitalise, les purifie et les élève progressivement à la vibration du Corps Christique, votre Mental Divin. Imprégnez-vous donc profondément de l'Instruction sur la Méditation contenue dans le chapitre un du livre *Les Mystères dévoilés*: c'est une méthode universelle, que tous peuvent facilement pratiquer et inclure dans leur horaire quotidien. Même les enfants aiment cette pratique qui harmonise les corps subtils et fait grandir la Paix intérieure, l'Harmonie et l'Intelligence Divine.

« Par ailleurs, vous pouvez centrer votre attention sur la Flamme de Dieu dans votre Cœur quoi que vous fassiez. Pratiquez-le, et voyez les résultats. Je ne vous dis pas que cette pratique remplace la Méditation quotidienne. Je vous dis que vous pouvez centrer votre attention et votre Amour sur cet Être dans votre Cœur en tout temps, afin que, progressivement, tout ce que vous dites, faites, pensez et ressentez, soit imprégné de cette Lumière rayonnant de l'intérieur de votre Cœur dans toutes vos actions, paroles, sentiments, pensées. Si vous perdez temporairement votre Harmonie divine, c'est uniquement parce que vous vous êtes éloignés du Cœur et que vous avez laissé par votre attention, rentrer en vous un élément de perturbation. Par la pratique, ces éléments vous toucheront de moins en moins; à condition que vous soyez vigilants avec votre attention, votre vision, ce que vous dites, faites, écoutez et ce que vous ressentez.

« Bien-aimés de la Lumière! C'est uniquement par la pratique que vous pouvez atteindre cette Maîtrise que Nous connaissons aujourd'hui. Vous devez apprendre à gouverner vos pensées, vos émotions, vos désirs, vos sentiments, vos paroles et vos actes par la Puissance d'Amour de la Lumière de votre Être Suprême I AM *Je Suis*. Vous ne pouvez pas gouverner ces choses par la seule force de la volonté humaine ou par quelque artifice, quel qu'il soit. Vous ne pouvez pas non plus le faire en pratiquant l'attitude de l'autruche qui consiste à se cacher la tête dans le sable, pensant que tout finira bien par s'arranger de soi-même: cela n'est pas possible, chers amis. L'Être humain a généré de la discorde dans le passé: il doit maintenant purifier cette discorde en la remplaçant par un surcroît de Lumière et d'Amour divins. Et c'est par le rayonnement de cette Pure Lumière, de l'intérieur du Cœur vers l'extérieur que cette discorde humaine peut être purifiée et consumée de façon permanente et irréversible.

« Vous vous rappelez cette Parole de Jésus: "Tout ce que tu sèmes, tu le récoltes". C'est pourquoi tous les humains, sans exception ont besoin de Rayonner de plus en plus de Lumière Divine, afin que le régime de la rétribution karmique individuelle soit changé pour devenir le régime de la Grâce Divine qui se manifeste par un écoulement amplifié de la Lumière de l'Être Suprême dans vos corps.

« Vous devriez appeler quotidiennement l'action du Pardon divin dans votre vie personnelle car si vous êtes actuellement dans un corps terrestre, mes bien-aimés, c'est la preuve que vous avez encore besoin de vous purifier, et donc que l'action du Pardon divin est impérative pour vous. Cette pratique de la Flamme Violette de Transmutation est justement l'action intensifiée du Pardon divin en action, afin que cette Flamme de pur Amour en provenance de votre Être Suprême I AM *Je Suis*, puisse opérer son Œuvre de Miséricorde et vous purifier de tout ce qui vous retient attaché au monde de la souffrance et de la mort.

« Ce n'est seulement qu'en entrant dans ce Monde Glorieux de Dieu – l'Octave des Maîtres d'Ascension – que l'on réalise combien était nécessaire cette Purification préparatoire à l'Ascension. Si vous développez cette soif de Pureté Divine, en dépit de toute apparence de difficulté, vous êtes certain d'atteindre rapidement – en une existence – cet état Souverain qui est le Nôtre, dans le Corps d'Éternelle jeunesse du Suprême I AM *Je Suis*.

« La Méditation dans le Cœur est la base nécessaire mais non suffisante de votre Application quotidienne. Méditer est nécessaire mais ne suffit pas: il vous faut aussi appeler, demander, visualiser la Lumière dans vos corps; pratiquer la Flamme Violette de Transmutation; demander la Protection divine, physique et subtile; il vous faut surtout cultiver pour Dieu un Amour de plus en plus ressenti, amplifié, entretenu et apprendre à aimer Dieu en tout et en tous, en tout temps. Enfin, vous pouvez boire Nos Mots, boire le Rayonnement qu'ils contiennent et étudier les Instructions que Nous vous communiquons. Entre les livres que Marc Saint Hilaire prépare pour vous et les Cours pratiques, vous avez de quoi, en plus de votre Application, largement de quoi activer et amplifier le Rayonnement de cette Splendide Lumière en vous et autour de vous.

« Vous ne savez pas encore combien Nous vous aimons. Mais plus vous entrez dans cette Pure Lumière de Dieu, plus vous ressentirez cet Amour, cette Force et cette confiance dont vous avez besoin pour avancer vers votre Liberté de l'Ascension, au milieu d'un monde souvent indifférent sinon hostile à cette Lumière. Vous rappelez-vous ces Paroles du bien-aimé Jésus: "Maintenant, j'ai vaincu le monde." Vous aussi, avec Notre Aide indéfectible, vous vaincrez le monde de la discorde et de la mort, et vous entrerez bientôt dans ce Monde d'Éternelle Lumière où tout n'est que Bonheur, Amour, Harmonie, Opulence Divine, Paix et Création en expansion perpétuelle pour tous.

« C'est cela votre vrai Pays, mes bien-aimés: le Pays de l'Éternelle Jeunesse que Dieu le Suprême, dans Son Amour inconcevable, a préparé pour chacun de nous depuis avant la fondation du monde. Je vous laisse à votre Méditation; je vous laisse à la Gratitude qui jaillit de votre Cœur; je vous laisse mon Amour car nous sommes tous frères et sœurs, même si pour encore un peu de temps nous ne pouvons être aussi proches les uns des autres que vous le souhaiteriez. Rappelez-vous en à chaque instant: votre attention sur la Présence Lumineuse de l'Être Suprême en vous, dans votre Cœur, en tout temps, dans l'action ou le repos, est votre Victoire certaine! »

« Il est très important que vos demeures, vos maisons, vos logements soient remplis de cette Divine Lumière qui vous apportera le Bonheur, la Paix et l'Harmonie dont vous avez besoin. »

Godfré Ray King

INSTRUCTION DE GODFRÉ RAY KING

- VII -

Cette Lumière Cosmique est la Puissance d'Amour de l'Être Suprême en action – Notre Enseignement agit d'abord par Rayonnement de la Lumière Divine – La Vérité de l'Être que vous êtes réellement – Tout est vibration – Il est vital que vos demeures soient remplies de cette Divine Lumière – Aimez, aimez votre Être Suprême I AM *Je Suis* – Ce que Nous vous disons n'agira pas de soi-même.

Le 19 octobre 1993

'est au Nom de tous Ceux et Celles qui œuvrent à l'amplification et à l'expansion de la Grande Lumière Cosmique sur Terre que je vous parle aujourd'hui, mes bien-aimés. Notre Amour pour vous dépasse tout ce que vous avez pu imaginer jusqu'à présent et ce n'est qu'après votre Ascension que vous comprendrez vraiment ce que Notre Amour pour vous signifie pour votre Victoire: la fin de vos limites dans un monde de dualité. Cette grande Lumière Cosmique est la Puissance d'Amour de l'Être Suprême en action qui intensifie actuellement son activité sur cette Planète. C'est pourquoi Notre Enseignement doit se répandre ouvertement. Cependant ceux qui récupèrent Nos Instructions ou qui faussent et déforment ce que Nous disons, je vous dis que ceux-là sont pitoyables à voir; et s'ils continuent leur situation ne fera qu'empirer. Non pas que quiconque leur souhaite ces choses; mais leur attitude crée un karma virulent, implacable, dont eux seuls sont la cause. Tel est le non-sens du petit moi humain et de son pouvoir personnel: une pure illusion, mais combien douloureuse à vivre.

« J'aimerais que vous compreniez comment agit Notre Enseignement: il ne s'agit pas seulement de paroles ou de mots que Nous vous donnons. Notre Enseignement agit d'abord et avant tout par Rayonnement de la Lumière Divine qui s'écoule de Nos Corps dans votre aura, dans l'énergie de vos corps terrestres! C'est pourquoi, la simple lecture de Nos Instructions ne suffit pas; la simple écoute des Mots ne suffit pas. Vous ne pouvez pas non plus bénéficier beaucoup de Nos Instructions si vous écoutez ou lisez surtout avec la tête et que vous passiez votre temps à décortiquer ce que Nous vous disons; ça, c'est le mental humain qui s'interpose entre vous et Nous afin de vous priver du Sens réel de ce que Nous avons à vous transmettre. La lecture et l'écoute doivent se faire par le Cœur et dans le Cœur, dans le calme et la Paix du Cœur; car le Cœur sait; la Présence du Suprême dans votre Cœur sait ce qui est Réel et il fait instantanément la part des choses. Alors que le mental humain lui, tant qu'il n'est pas illuminé par la Lumière du Suprême dans le Cœur et par la Lumière de votre Corps Christique, eh bien ce mental humain demeure ignorant, orgueilleux et aveugle. Par contre, quand vous lisez et que vous écoutez par le Cœur, alors le mental humain s'apaise, s'assagit, pourrait-on dire, et il commence à se laisser remplir de la véritable Intelligence de Dieu en vous et avec vous qui se trouve en Plénitude dans votre Corps Christique, le Mental Divin.

« Que voulons-Nous dire par cette expression "écouter ou lire par le Cœur"? Simplement, qu'en écoutant et en lisant vous centrez votre attention et votre Amour sur la Lumière du Suprême dans votre Cœur, au milieu de votre poitrine. Par la pratique de la Méditation quotidienne, ces choses doivent devenir Naturelles pour vous mes Amis, une seconde Nature, votre vraie Nature. A ce moment-là, vous pouvez facilement recevoir le Rayonnement de pure Lumière qui agira alors dans votre aura et dans vos corps, vous apportant progressivement tout ce dont vous avez besoin pour passer de l'illusion à la Vérité. Quelle Vérité? La Vérité de l'Être que vous êtes, bien-aimés, indépendamment de toutes opinions personnelles. C'est la fameuse Instruction de Jésus: "La Vérité vous rendra Libre!" Il n'a pas dit que vos croyances ou que vos opinions vous rendraient Libres. Bien au contraire! Depuis des millénaires et des millénaires, les humains se sont enfermés et beaucoup continuent encore à s'enfermer dans un labyrinthe de croyances, de sectes, de systèmes, de concepts d'idées, d'opinions ou de philosophies qui n'ont rien à voir avec la Vérité de la Vie: l'Être que vous êtes réellement. Cette Vérité de votre Être Réel n'a rien à voir avec moi, Godfré; cela n'a rien à voir avec Marc Saint Hilaire; cela n'a rien à voir avec personne. Cela est ainsi: Dieu le Suprême, l'Infiniment Aimant, l'infiniment Glorieux qui est individualisé pour chaque être humain; et chacun Est cet Être individualisé. C'est pourtant simple, mes Amis. Simple pour le Cœur, oui; mais pas toujours simple pour le mental humain qui veut n'en croire et n'en faire qu'à sa tête – une toute petite tête – même si souvent il se prend pour une grosse tête. Vous savez, Nous n'avons pas perdu Notre sens de l'humour en faisant Notre Ascension; bien au contraire.

« C'est pourquoi en entrant vraiment, de l'intérieur, dans la Compréhension que Nous vous donnons par pur Amour, vous êtes certains de laisser Notre Lumière et la Lumière de votre Corps Christique remplir votre mental, vos émotions, vos désirs et votre corps physique. C'est ainsi que Nous vous transmettons la Véritable Instruction que Nous avons choisi de vous communiquer: par Rayonnement de cette Lumière en provenance de Notre Octave, qui s'écoule et jaillit en vous et autour de vous, pourvu que vous soyez à l'écoute dans le Cœur et en Paix. Et ce Rayonnement, vous le recevez chaque fois que vous centrez votre Attention et votre Amour sur l'Être Suprême I AM *Je Suis* en vous, et que vous lisez Nos Paroles et que vous écoutez nos Mots. Et bien entendu, Notre Rayonnement agit d'une manière toute spéciale par l'intermédiaire de ceux que Nous choisissons pour diffuser Notre Enseignement. Car c'est Nous, les Maîtres d'Ascension, qui choisissons ceux qui répandent Nos Instructions. Cette chose-là vient de Nous, mes amis. C'est toujours le Maître qui choisit le Disciple et non pas l'inverse. Aussi, ne vous laissez pas tromper et séduire par les imitateurs, les aveugles qui conduisent d'autres aveugles dans le trou, comme le disait le bien-aimé Jésus.

« Lors des Cours d'introduction pratique à Notre Enseignement, vous aurez remarqué comment cette Lumière agit en vous; et si vous n'en êtes pas pleinement conscients, cela ne veut pas dire que le Rayonnement n'agit pas; c'est simplement que votre sensibilité ne répond pas encore tangiblement à cette Vibration; mais néanmoins, ce Rayonnement Divin agit; sauf si vous vous laissiez toucher par le doute, le scepticisme, la peur ou l'incertitude; alors ces vibrations discordantes agiraient en vous et vous priveraient de la meilleure part; oui, de la meilleure part, celle que Nous avons à vous offrir par cette Lumière qui s'écoule dans vos corps terrestres durant vos lectures, votre écoute et votre Application. Par la pratique quotidienne ces choses deviendront pour vous de plus en plus claires, tangibles, évidentes et naturelles.

« Il est important, il est vital, que les amis et les étudiants des Maîtres d'Ascension comprennent vraiment que tout est vibration. Et dans votre monde terrestre, il existe des vibrations harmonieuses, élevantes, pures et Lumineuses; et aussi, des vibrations discordantes, impures et ténébreuses. Et ces choses non lumineuses n'existent qu'à cause du fait que les humains ont, dans le passé – hier ou il y a très longtemps – généré ces vibrations discordantes en eux et autour d'eux par leurs pensées, leurs désirs, leurs émotions, leurs paroles et leurs actions non conformes à la Pure Harmonie de Vie qui Est la Lumière de Dieu le Suprême. Si ces énergies discordantes n'ont pas été purifiées et consumées, alors elles se trouvent encore là, dans les auras et les corps terrestres de l'humanité, et dans l'aura planétaire, c'est-à-dire dans le monde de la pensée, du désir et la substance éthérique.

« Maintenant, si je vous parle de ces choses, mes bien-aimés, ce n'est pas pour que vous focalisiez votre attention sur ces éléments discordants, bien au contraire. C'est pour que vous soyez conscients du fait que vous vivez encore dans un monde où toutes sortes d'énergies cherchent constamment à vous influencer et vous conditionner, souvent à votre insu. C'est pourquoi, vous avez grand besoin de demander cette Colonne de Lumière Blanche, ce Manteau de Flamme Bleue; et de rayonner cette Pure Lumière de votre Être Suprême, de l'intérieur de votre Cœur, vers l'extérieur, afin que ces éléments discordants et ténébreux ne vous touchent plus. Vous avez besoin de rayonner cette Suprême Lumière de jour en jour, avec une constance et une intensité de plus en plus établies. Alors arrivera – nécessairement – le moment où ces choses qui agissent dans l'atmosphère astrale de la terre, ne vous toucheront plus, pourvu que vous centriez votre attention à la bonne place en toutes circonstances: sur la Présence de votre Suprême Amour, Dieu individualisé, en vous et au-dessus de vous, I AM *Je Suis*.

« Par ailleurs, il est très fondamental que vos

demeures, vos maisons, vos logements soient remplis de cette Divine Lumière qui vous apportera le bonheur, la Paix et l'Harmonie dont vous avez besoin pour avancer dans la vie. Et comment allez-vous permettre l'établissement de cette Lumière, de ce Foyer de Lumière dans vos demeures? Par l'intensification du Rayonnement de cette Lumière de Dieu en vous à partir de vos Cœurs. Et cela se fait par votre pratique, chez vous de jour en jour. À quoi servirait-il qu'il y ait ce Rayonnement de Pure Lumière en provenance de Notre Octave ici ou là, si ce Rayonnement n'est pas établi chez vous d'abord? Ce serait un pur non-sens! Et méfiez-vous, car plusieurs ne vous encourageront pas à amplifier cette Lumière dans votre quotidien chez vous, afin de vous garder sous leur gouverne, sous leur influence. En effet, plus la Lumière de votre Être Suprême, la Lumière de votre Corps Christique et Notre Lumière rayonne dans vos demeures, moins les influences séductrices qui n'ont de 'Christ' que le nom, pourront vous toucher et vous influencer.

« Rappelez-vous ce que Nous avons dit dès le début: le plus grand, le premier Service que vous pouvez rendre à l'Univers, c'est-à-dire à vous-mêmes et à tous; ce premier Service consiste à Aimer, Aimer, Aimer votre Être Suprême I AM *Je Suis* en vous et au-dessus de vous, de toutes vos forces, de toute votre constance et de tout votre être. Le bien-aimé Jésus a-t-il dit autre chose? Bien sûr que non; ce fut son Instruction la plus fondamentale; mais combien l'avaient vraiment comprise et surtout mise en pratique? Aujourd'hui, vous avez la possibilité de le faire vraiment et ainsi d'atteindre votre Liberté Suprême, pour toujours, car jamais personne ne le fera à votre place.

« Rappelez-vous que Nos Instructions n'agiront pas d'elles-mêmes; que cette Suprême Lumière attend votre coopération; que vous devez faire votre part; mettre la Lumière en action en vous et autour de vous; mettre en ordre votre Temple – le Temple de vos corps denses et subtils – et ne pas toujours attendre après quelqu'un pour que cela se fasse. Car chacun a une part à faire lui-même que personne d'autre ne peut faire à sa place. Évidemment, tous doivent collaborer harmonieusement et s'entraider avec Amour. Néanmoins, chacun doit faire le Chemin lui-même, vous le savez bien. Alors, passez à l'action et amplifiez, par votre Application, le Rayonnement de cette Lumière qui est la Vie que tous désirent. En agissant ainsi et avec une telle attitude juste, soyez certains que Nous aussi, de Notre Octave, Nous déversons sur vous et en vous un surcroît de Notre Lumière, pour vous aider à compléter ce Sentier qui conduit à la Vie. Nous vous aimons et Notre Lumière est là, pour vous.

« Au Nom de tous ces Amis merveilleux qui vivent dans Notre Octave et dans les Octaves encore plus grandioses, je vous couvre de mon Manteau de Pure Lumière pour toujours. Sachez-le: par votre Application sincère et soutenue, la manifestation de votre Victoire de l'Ascension doit nécessairement se faire pour vous dans cette existence, pour votre plus grand Bonheur et pour le plus grand soulagement de tous ceux qui l'atteindront après vous. »

« Ayant Nous-mêmes foulé le chemin que vous parcourez actuellement, Nous sommes dans une position pour vous dire exactement ce qui agit dans vos énergies humaines et qui cherche continuellement à vous retenir d'atteindre cette même Liberté qui est la Nôtre aujourd'hui. »

Godfré Ray King

INSTRUCTION DE GODFRÉ RAY KING

- VIII -

Recevez et lisez Nos Instructions avec le Cœur – Ce Royaume dont Jésus a parlé n'est autre que l'Octave des Maîtres d'Ascension – L'Amour Divin est une Flamme – Vous êtes cet Être – Pour Dieu le Suprême I AM *Je Suis* en vous et au-dessus de vous, il n'est rien d'impossible – "Je Suis venu jeter un Feu sur le monde".

Le 15 octobre 1993

Enfants bien-aimés de Dieu qui Est Lumière, Amour et Vie! Je désire vous transmettre aujourd'hui une compréhension plus profonde de ce qu'est l'Amour divin. Quand Nous parlons de compréhension plus profonde, Nous voulons dire avant tout une compréhension Ressentie de l'intérieur de votre être. Une compréhension peut être intellectuelle, simplement mentale. Mais pour qu'elle soit de plus en plus intégrée à votre vécu, il vous faut apprendre à Ressentir la Vérité de Dieu et des Instructions que Nous vous donnons. Écoutez et lisez avec le Cœur, avec l'Intelligence du Cœur et alors vous pouvez entrer dans cette compréhension Ressentie de la Vérité de la Vie. Car vous ne pouvez pas recevoir ce que Nous disons si vous le faites seulement avec la tête, ou si votre mental humain envahit votre énergie personnelle et rejette ou ignore la Lumière du Cœur. Quand Nous disons "Ressenti", cela signifie Ressenti dans le Cœur et par le Cœur. Le mental se forme un tas d'opinions, porte des jugements, tire des conclusions à partir d'informations partielles – les siennes et celles des autres – et ainsi il vous prive de votre Liberté de Savoir vraiment Ce qui Est, et non seulement ce qui paraît être. C'est ainsi que les humains sont en conflit les uns envers les autres, en compétition les uns envers les autres: parce qu'ils s'attachent à des opinons, à des idées personnelles qu'ils défendent comme si elles étaient La vérité.

« C'est pourquoi le bien-aimé Jésus – auquel je me plais à faire souvent référence – disait: "Si vous ne recevez pas l'Enseignement du Royaume de Dieu comme un petit Enfant, vous n'entrerez pas dans ce Royaume." Et je puis vous dire, en connaissance de cause, que ce Royaume de Dieu dont Jésus a parlé, n'est autre que cette Octave des Maîtres d'Ascension, le Monde Éternel de l'Être Suprême I AM *Je Suis!* Aussi, à travers Nos mots, reconnaissez l'Éternelle Vérité de Dieu. Avoir un Cœur de petit Enfant c'est recevoir avec Amour, Simplicité et Reconnaissance, le Don

Suprême de Dieu à Ses Enfants: la Vie Éternelle dans le Corps de votre Être Réel, Celui-qui-Est, I AM *Je Suis*.

« La connaissance et la compréhension que les humains en général ont de l'Amour divin sont passablement incomplètes. Plusieurs pensent que l'Amour est un sentiment ou une émotion: ce n'est pas le cas. L'Amour divin est une Flamme, un jaillissement de Pure Lumière en provenance de l'Être Suprême, de l'intérieur du Cœur, vers l'extérieur, dans toutes vos cellules, dans toute la substance et dans toute l'énergie de vos corps terrestres; et, à partir de ce Centre du Cœur, cette Flamme d'Amour – le Feu Divin – rayonne partout là où vous voulez bien le diriger par votre attention, votre vision, vos paroles et vos actions. Bien entendu, quand vous rayonnez cet Amour divin, vous pouvez le ressentir vibrer, rayonner et s'amplifier. Cependant, ce que vous ressentez n'est pas l'Amour; ce n'est qu'un effet du Rayonnement de cette Lumière d'Amour dans vos corps terrestres. Comprenez-vous la différence, bien-aimés?

« Vous réalisez maintenant l'importance de l'attention sur la Lumière – la Flamme – de Dieu en vous, dans vos Cœurs, et au-dessus de vous, le Suprême qui est la Source Éternelle de tout Amour dans l'Univers. Comment devenir la Plénitude de cet Amour? Par l'activation et l'amplification de Son Rayonnement, de l'intérieur de votre Cœur et dans toutes vos cellules; par la purification de toutes énergies humaines discordantes dans vos corps terrestres, spécialement le corps des émotions, du désir et dans le mental. Ayant Nous-mêmes foulé le chemin que vous parcourez actuellement, Nous sommes dans une position pour vous dire exactement ce qui agit dans vos énergies humaines et qui cherche continuellement à vous retenir d'atteindre cette même Liberté qui est la Nôtre aujourd'hui. Non seulement savons-Nous exactement ce qui agit dans vos auras personnelles, mais Nous savons aussi comment vous pouvez – si vous le voulez – vous défaire de toutes ces choses qui vous limitent et vous retiennent dans un monde de dualité où l'Amour divin ne s'exprime que faiblement et très imparfaitement.

« Il n'est d'autre Source de Vie et d'Amour dans l'Univers que cet Être Suprême I AM *Je Suis*, et vous êtes cet Être. Incroyable, me direz-vous? Incroyable pour le mental humain peut-être, car ce mental humain est le grand rebelle qui s'oppose constamment et inlassablement à Dieu, à Sa Lumière, à Son Amour et à Son Intelligence, tant qu'il n'est pas lui-même, ce mental humain, rempli de la Lumière du Christ Vivant, le Corps du Mental Divin qui se tient au-dessus de vous dans son Octave cinquième. Pourquoi le mental humain avec son armée d'opinions, de jugements, d'idées, de concepts et de désirs s'oppose-t-il constamment à la Pure Lumière de l'Être Suprême I AM *Je Suis*? Parce qu'il s'est détourné, qu'il a détourné son attention de la Source même qui lui permet d'exister, préférant, par orgueil et vanité, placer son attention sur le faux-ego, le petit moi humain et donnant à ce petit moi mortel le crédit pour tous ses accomplissements. C'est cela le plus incroyable: que les êtres humains se soient laissé berner, tromper et séduire par le mental humain et sa horde de concepts et de désirs trompeurs.

« Je vous le répète, mes chers amis, Nous savons parfaitement de quoi Nous parlons, ayant Nous aussi été des humains comme vous aujourd'hui. Quand vous étudiez attentivement, avec le Cœur, dans le Silence et la quiétude de votre chambre ou de votre lieu d'Application, quand vous cherchez à ressentir ce que Nous voulons vous transmettre et quand vous demandez à votre Être Suprême en vous et au-dessus de vous, de vous faire comprendre et ressentir le Sens profond de Nos Instructions, alors soyez certains que grâce à l'action de votre Corps Christique qui est l'Intelligence Cosmique de l'Univers focalisée pour vous juste au-dessus de vos corps, quand vous faites cela régulièrement, en détournant votre attention des opinions personnelles, en vous ou autour de vous, alors vous devenez rapidement *Libres* même si vous pensez que cela est difficile. Car pour Dieu le Suprême I AM *Je Suis* en vous et au-dessus de vous, il n'est rien d'impossible quand vous Lui donnez le pouvoir et l'autorisation d'agir dans votre monde personnel. Ce qui doit absolument être fait pour atteindre votre Ascension.

« Vous vous souviendrez de ces Paroles de Jésus le bien-aimé: "Je Suis venu jeter un Feu sur le monde, et combien je désire qu'Il embrase tout!" Ce Feu est Celui de l'Amour divin en action, la Flamme du Suprême qui doit reprendre tôt ou tard le contrôle de cette humanité. C'est Son Suprême Amour qui le veut, désirant mettre un terme à la dérive des désirs humains, la cause de toute souffrance et de tout chaos dans votre monde physique. Et puisque depuis ma venue dans les années trente, un nombre sans cesse croissant d'êtres humains accepte Nos Instructions, les met en pratique et appelle la descente de la grande Lumière Cosmique pour qu'Elle inonde leurs corps, leur conscience mentale et toute substance et énergie, soyez certains que ces grands

Êtres Cosmiques et tous les Maîtres d'Ascension – nouveaux ou anciens – répondent à vos appels et que cette Lumière est en train de reprendre le contrôle de cette Planète, indépendamment des apparences extérieures qui ne sont que des réactions humaines grandement amplifiées en cette période de transition fondamentale. Transition vers quoi? Transition d'un monde où régnaient l'égoïsme, la manipulation, le pouvoir humain et donc la mort, vers un Monde Nouveau où l'Amour divin en action à travers tous les humains sera Roi pour toujours. C'est ce que le Grand Maître de Vénus, Victory, a clairement signifié dans le dernier chapitre du livre *Les Mystères dévoilés*, je vous le rappelle.

« Constamment, de jour en jour, l'Amour infini de Dieu en vous et au-dessus de vous, vous inonde de Sa Pure Flamme d'Amour; et par votre pratique soutenue, Son Action sera de plus en plus manifeste et présente dans votre existence quotidienne, jusqu'au moment de votre pleine Victoire: votre Ascension dans Notre Octave d'Éternelle Lumière, dans un Corps d'Éternelle Jeunesse. »

«Vous ne savez pas encore ce que cette Lumière de votre Être Suprême peut faire pour vous, si seulement vous l'invitez... car Nous voulons que vous deveniez tels que Nous sommes. »

Godfré Ray King

INSTRUCTION DE GODFRÉ RAY KING

- IX -

Le désir est le moteur de l'action – Les trois grands ennemis: le doute, la léthargie et la peur – Vous ne savez pas encore ce que cette Lumière de votre Être Suprême peut faire pour vous – La pleine Liberté que Nous offrons.

Le 14 octobre 1993

hers amis, lecteurs et étudiants des Maîtres d'Ascension, j'aimerais vous faire part d'une Instruction qui, si vous la recevez, l'acceptez et la mettez en pratique, vous ouvrira des portes qui pour plusieurs d'entre vous sont restées fermées depuis bien des existences. Cette Instruction concerne les mécanismes subtils de votre corps des émotions, désirs et sentiments, votre corps vital. Comprenez que ce corps – les énergies que contient ce corps – est ce qui vous pousse à l'action; ce qui vous pousse à agir ou à ne pas agir, à chaque instant. Quand Nous disons que le désir est le moteur de l'action, cela est réel. Seulement, le désir peut revêtir des formes diverses et surtout très subtiles qui souvent, agissent à votre insu, sans que vous en soyez conscients. Par l'action de la Lumière purificatrice de l'Être Suprême en action dans vos corps subtils, vous devenez de plus en plus conscients des mécanismes qui gouvernent vos désirs. Ainsi, vous avez la possibilité de devenir des êtres qui agissent de plus en plus consciemment. Par la connaissance et la pratique de cette Lumière de Dieu en vous, vous pouvez prendre conscience des mécanismes subtils du désir en vous et ainsi, être de moins en moins dominés par leurs énergies inconscientes ou subconscientes.

« Par exemple: pourquoi, selon vous, certains apprécient la lecture des Enseignements que Nous donnons par écrit, mais ne l'apprécient plus autant quand il s'agit d'approfondir vraiment la Compréhension et la pratique? Pourquoi certains disent-ils aimer ces livres alors qu'ils se refusent à recevoir l'Instruction communiquée dans les cours pratiques? Bien sûr, c'est une minorité. Mais ne voyez-vous pas là une contradiction de comportement et d'attitude? Alors que se passe-t-il pour que ces deux attitudes contradictoires puissent agir en même temps dans les mêmes personnes? Nous avons toujours dit que les trois grands ennemis sur le sentier de la Victoire étaient le doute, la léthargie et la peur. Rappelez-vous ce que le bien-aimé Saint Germain et moi-même Nous vous disons depuis le début: "Si vous êtes prêts à bouger, à vous déplacer pour cette Suprême Lumière, alors cette Lumière viendra à vous; mais si vous ne faites pas l'effort de vous déplacer afin de recevoir ces Instructions d'origine, comment pouvez-vous penser que Nous viendrons à vous?". Il appartient donc à chacun d'entre vous, mes amis, d'examiner les motifs qui vous font agir ou ne pas agir, choisir ceci ou ne pas choisir cela. Pourquoi un être humain intelligent qui apprécie la lecture du livre *Les Mystères dévoilés* rejetterait l'Enseignement pratique et pur qui accompagne et prolonge ce livre afin que tous ceux qui sont sincères aient accès à cette pleine Lumière et au Bonheur qu'elle apporte dans leur vie? C'est là que chacun doit évaluer le degré de sa propre sincérité, de son Amour inconditionnel pour Dieu le Suprême, le degré de sa liberté de devenir toute Lumière, le degré de son autonomie intérieure, indépendamment de toute personnalité, de tout groupe, de toute association et de toutes conditions.

« Quand vous pouvez choisir de vous-même, par Dieu, et pour Dieu avant tout, alors vous êtes sur la voie qui conduit à l'Éternelle Liberté dans cette existence. Ne tenez pas compte des opinions humaines et rejetez toute influence ou suggestion astrale subtile ou directe – écrite, verbale ou autre – qui chercherait à vous faire croire que cette Instruction *pratique* que Nous vous donnons n'est pas pour vous sous prétexte que vous ne seriez pas prêts! Tout être humain qui veut plus de bonheur, d'Amour et d'Harmonie pour luimême et pour les autres est prêt pour cette Grande Lumière. Mais tous ne sont pas disposés, voilà la différence. Non disposés, ce qui veut dire que dans leurs désirs et émotions quelque chose agit qui cherche à les empêcher de devenir Libres. Que certains ne veulent pas accéder à la pleine Liberté que Nous offrons, c'est une chose; mais qu'ils en empêchent d'autres – subtilement ou non – d'accéder à cet Enseignement Pur et authentique tel que je le donne depuis le commencement, voilà ce qui enchaîne plusieurs individus depuis des existences et des existences: parce qu'ils veulent tenir quelques groupes d'individus sous leur coupe, sous leur gouverne, sous leur influence. Et, dans Notre Enseignement *d'origine,* il n'y a jamais aucun jeu subtil ou direct d'influence personnelle, vous le savez.

« C'est ce que je voulais vous dire aujourd'hui, mes bien-aimés. Vous ne savez pas encore ce que cette Lumière de votre Être Suprême peut faire pour vous si seulement vous L'invitez, vous acceptez Son Instruction – oui, l'Instruction de l'Être Suprême I AM

Je Suis – que Nous vous communiquons avec Amour, car Nous voulons que vous deveniez tels que Nous sommes et qu'une fois pour toutes vous mettiez fin à ces jeux subtils mais combien néfastes, ces jeux du petit moi avec sa flotte de concepts, d'opinions, de désirs obscurs, ses trafics d'influence, d'intérêts personnels et de manipulation. Certains trouvent difficile de se défaire de ces choses? C'est justement le but de cet Enseignement d'Amour: donner à tout être humain sincère les moyens de consumer dans la Flamme du Cœur et dans la Flamme de Transmutation, cette armée d'énergies discordantes qui le limitent et le freinent dans son voyage vers l'ultime Liberté.

« Rappelez-vous que vous êtes simplement des passagers en transit dans votre corps physique, et que la Liberté ne consiste pas à assouvir tous ses désirs humains; car ce sont justement ces choses qui enchaînent les humains à la roue douloureuse des réincarnations successives dans des corps limités et imparfaits. Au contraire, la vraie Liberté consiste à remplir le mental et tous les désirs humains de la Plénitude de la Pure Lumière de Dieu le Suprême. Et alors, progressivement, ces désirs fondent comme la cire dans la Flamme et vous redevenez Lumière pour toujours! Sans cette Purification et cette Transmutation du mental, des désirs, des énergies vitales et des substances densifiées, il n'y a pas de Liberté pour l'être humain. Par contre, avec cette Lumière que *vous mettez en action*, la Plénitude de Sa Liberté est pour vous, pour chacun de vous!

« Puissiez-vous, très chers amis, vous pénétrer de cette Instruction qui, lorsque vous l'étudiez sincèrement, et la mettez en pratique, vous apporte nécessairement Lumière et bien-être pour les jours et les années à venir. Rappelez-vous que moi aussi, il y a seulement quelques années, j'étais dans un corps limité et rempli de concepts et de désirs simplement humains, comme les Terriens d'aujourd'hui. Et je rends grâce à Dieu le Suprême des Suprêmes, pour avoir mis en mon Cœur cet Amour pour Lui, le Fil d'Ariane qui m'a conduit à mon Éternelle Liberté dans cette Octave merveilleuse des Maîtres d'Ascension. Une autre fois je vous parlerai un peu de ce qui se trouve dans Notre Octave afin que vous en ressentiez davantage la Réalité. Mon Amour vous enveloppera toujours, et d'autant plus, que vous tournerez votre attention vers la Grande Lumière de l'Être Suprême qui est présent dans votre Cœur à chaque instant. »

« Quand vous appelez la Lumière de votre Être Suprême en action, Il ne peut pas faire autrement que répondre à votre Appel. »

Godfré Ray King

INSTRUCTION DE GODFRÉ RAY KING

- X -

Votre Cœur est le Cœur de l'Être Suprême – Dans chacune des cellules de votre corps se trouve un Point de Pure Lumière Blanche – Appelez-Le, cet Être Suprême Bien Aimé – Ressentez intensément que c'est cet Être de Suprême Lumière qui agit en vous – Soyez déterminés dans votre Application.

Le 18 octobre 1993

nfants bien-aimés du Très-Haut Dieu Vivant qui aspirez à la Plénitude de la Vie et de l'Amour Parfait! Vous rendez-vous compte, qu'à chaque instant, à chaque seconde de votre existence terrestre, c'est Dieu en vous et avec vous qui fait battre votre Cœur? C'est Son Énergie, Sa Lumière et Sa Flamme de Vie qui imprime à votre cœur physique son mouvement continu et lui donne cette pulsation qui est la pulsation dans votre corps physique du Cœur de votre Être Suprême bien-aimé. Comprenez ceci, mes amis: la Présence de votre Être Suprême possède un Corps d'Éternelle Lumière qui Est Dieu individualisé, votre Être Réel, I AM *Je Suis!* Dans le Corps Glorieux de cet Être Suprême bat un Cœur de pure Lumière

Éblouissante, et de ce Cœur s'écoule vers vos corps terrestres la Substance Lumineuse de la Vie qui est ancrée dans votre cœur physique.

« Pouvons-Nous être plus clairs? Votre Cœur Est le Cœur de l'Être Suprême qui bat au rythme de la Vie contenue dans le Cœur Flamboyant de Dieu, au-dessus de vous, dans Son Octave. Quand votre cœur physique ne bat pas très bien, c'est simplement qu'il se trouve quelque chose dans la substance et l'énergie de vos corps terrestres qui fait obstacle au rythme harmonieux de la pulsation de votre Cœur Céleste, Celui de votre Être Réel. Il vous suffit donc de purifier ces corps terrestres par l'activité de Rayonnement de la Lumière de Dieu que Nous vous donnons dans Nos Instructions. Non seulement votre Cœur physique est-il le Cœur de Dieu, mais dans chacune des cellules de vos corps denses se trouve un Point de Pure Lumière Blanche qui est la Vie de Dieu qui habite vos corps. Et pour que vos corps terrestres rayonnent à nouveau la Lumière qui était la leur autrefois, il vous suffit de mettre en action cette Pure Lumière dans toutes vos cellules à partir de votre Cœur dans lequel réside la Présence Solaire de l'Être Suprême. Et comme cet Être est le Souverain du monde-tout-entier, ne pensez-vous pas qu'Il est plus que capable de changer vos corps limités en des Corps d'Éternelle Lumière? Qu'Il est plus que capable de vous redonner votre Immortalité perdue? Bien entendu qu'Il peut le faire, à condition que vous Lui donniez le pouvoir d'agir dans vos corps terrestres et dans votre monde individuel afin qu'Il les remplisse de Sa Lumière qui Est la Vie. Et vous Lui donnez ce pouvoir au moyen de votre attention, de votre visualisation et de l'Amour que vous ressentez pour Lui de jour en jour. Et c'est par la Puissance de vos Appels, de vos demandes et de vos commandes que vous focalisez, en vous et autour de vous, Sa Puissance d'Action pour changer en vous ce qui doit être changé.

« Appelez-Le, cet Être Suprême bien-aimé, mes Amis. Appelez-Le avec confiance, constance, Amour et détermination, et voyez s'Il ne répondra pas à vos Appels. Bien sûr qu'Il le fera, chaque fois, pourvu que vous ne laissiez pas les doutes, l'impatience, les peurs, les bavardages, la discorde, interférer avec la manifestation de Sa Lumière en vous et autour de vous. Quand vous demandez quelque chose, soyez certains que cela est bon, favorable pour vous-même et pour tous! Jamais ne demanderez-vous quoi que ce soit qui puisse faire du tort, limiter ou manipuler qui que ce soit – subtilement ou non; si certains sont assez aveugles pour le faire, ils verront ce qu'il en coûte d'appeler cette Grande Lumière pour des fins non conformes au Plan d'Amour Divin. Par contre, vous demanderez toujours plus de Lumière, d'Harmonie, de Protection, de Guérison et de Victoires pour tous, sans aucune discrimination de personnes, car tout être humain a besoin de ces choses pour atteindre son Éternelle Liberté: la Victoire de l'Ascension.

« Et puisque vous voulez votre Ascension pour vous-mêmes, vous devez aussi la demander pour tous; et c'est exactement ce que plusieurs font maintenant régulièrement. Ils s'assurent ainsi une Victoire bien plus rapide et plus confortable. Plus confortable, parce que Notre Protection agit particulièrement sur ceux et celles qui appellent la Lumière pour eux-mêmes et pour tous. Telle est la Loi d'Amour en action, mes chers Amis. Nous aussi Nous avons pu atteindre plus rapidement notre Ascension parce que d'autres l'ont demandée pour Nous. Ce qui ne veut pas dire que vous devez vous reposer sur vos lauriers et penser que vous pouvez vous croiser les bras et attendre votre Ascension. Non! Au contraire, soyez plus déterminés dans votre Application et alors, voyez les Splendeurs que cette Suprême Présence a pour vous en réserve.

« Pour que vos Appels à votre Être Suprême,

à votre Être Christique et aux Maîtres d'Ascension puissent agir avec force, il vous faut ressentir intensément ce que vous dites; ressentir intensément que c'est l'Action de cet Être de Suprême Lumière qui agit en vous pour vous permettre de verbaliser; et que c'est Sa Lumière qui répond à vos Appels. Ne pensez pas que ce soit l'action de votre mental ou d'une quelconque force humaine. Si vous le faites, vous vous limitez et cette Lumière n'agira pas. L'ego humain doit se tenir hors du processus, sans quoi il ne s'agit que d'un conditionnement mécanique mental et cela n'a *rien à voir* avec ce que Nous vous enseignons.

« Ce que Nous vous disons depuis le début est que vous appelez la Lumière de votre Être Suprême afin qu'Il agisse dans votre monde physique, et déverse pour vous cette Lumière qui est Maître-de-Tout, là où vous dirigez votre attention. Car vos facultés humaines d'attention, de vision et de coloration (ce que vous ressentez) sont les instruments dont Dieu se sert pour manifester Sa Victoire dans votre monde terrestre mental, vital et physique. Cette Connaissance est une Science pure, ce qui n'est pas nécessairement le cas de toute science dans votre monde actuel. La Loi de la Vie est Absolue, infaillible, mes amis. Quand vous appelez la Lumière de votre Être Suprême en action, Il ne peut pas faire autrement que répondre à votre Appel. Pourquoi alors la réponse ne se manifeste-t-elle pas nécessairement tout de suite? La principale raison est le doute, même subtil, qui habite le corps vital, les émotions de beaucoup d'êtres humains; ensuite viennent la peur, l'incertitude, la léthargie, l'impatience, la critique; en un mot, le manque de Pureté et d'Harmonie dans les énergies des corps terrestres. C'est pourquoi l'Instruction sur la Purification dans la Flamme Violette et la Lumière Blanche est fondamentale pour que cet Être puisse déverser en vous et à travers vous suffisamment de Sa Lumière qui est la réponse que vous désirez. Ne soyez donc pas impatients ou critiques envers Dieu, car Sa patience envers vous est infinie.

« Sachez que lorsque vous êtes sincères, loyaux et déterminés en dépit des obstacles apparents, votre Victoire est certaine; autrement dit, la réponse à vos Appels se manifestera toujours. Évitez aussi de donner une indication de moment ou de date quant à la manifestation: votre Corps Christique qui Est l'Intelligence Suprême de l'univers, sait quand est le meilleur moment pour la manifestation que vous demandez. De plus, ne soyez en aucune façon attaché au résultat de votre demande, mais attachez votre Cœur, votre

Amour, votre Attention et votre Vision à Dieu qui est en vous et au-dessus de vous. Alors vous êtes certains de voir la manifestation de ce que vous avez demandé, et bien plus encore.

« Appelez votre Être Suprême toujours d'abord! Appelez-Nous ensuite aussi si vous le voulez car Nous sommes Ceux et Celles qui avons déjà foulé le chemin que vous parcourez aujourd'hui et qui pouvons vous transmettre la Conscience véritable et ressentie de ce qu'est réellement la Victoire de l'Ascension. Et seuls Ceux qui ont fait leur Ascension peuvent déverser dans votre Conscience et dans vos corps la Substance Lumineuse de la Réalité de l'Ascension qui s'écoule de Nos Corps. Vous êtes nos Amis très chers et d'autant plus chers que vous aimez Dieu le Suprême I AM *Je Suis* en vous, au-dessus de vous et en tous. Étudiez, relisez, relisez et pratiquez les Instructions que Nous vous donnons: vous êtes alors certains de devenir la Plénitude de cette Lumière que vous désirez tant. »

« La Pureté dont Nous parlons est la Substance même du Corps de Dieu, votre Être Réel, un Corps plus Lumineux que cent mil Soleils. »

Godfré Ray King

INSTRUCTION DE GODFRÉ RAY KING

- XI -

Manifeste la Puissance de Ta Lumière! – Devenez des êtres Libres – Nous avons atteint la Victoire Éternelle sur les morts répétitives – La Pureté est la Nature même du Corps de Dieu – Un Corps plus Lumineux que cent mille Soleils – L'indestructible Bonheur – Transmuter ces énergies vitales et physiques.

Le 22 octobre 1993

Si vous le voulez bien, nous commencerons aujourd'hui par centrer notre attention sur le Centre du Cœur et appeler l'infaillible Lumière de cet Être Suprême. Alors que je prononce ces Mots, cet Appel, cette Invocation, ressentez intensément le sens de chacun d'eux, et laissez-vous pénétrer du Rayonnement que ces Mots déversent en vous.

« Toi Suprême Présence de Dieu Maître-de-Tout, Celui-qui-Est I AM *Je Suis*, présent en chacun et en tous, Toi dont le Corps Glorieux se tient au-dessus de chaque être humain! Nous Te remercions pour Ta Vie qui coule en nous! Nous Te remercions parce que Tu per-

mets que la Connaissance éternelle de Ton Être, de Ta Réalité et de Ta Présence se manifeste, dans sa Pureté d'origine, aux enfants de la Terre, Tes enfants, pour lesquels Tu as un Amour infini, inconcevable et Éternel! Manifeste la Puissance de Ta Lumière d'Amour dans le Cœur et dans les corps de tous ceux qui lisent et liront ces paroles que Tu leur donnes pour leur plus grand bonheur afin qu'eux aussi, puissent rapidement atteindre cette Victoire que Tu Nous as donnée, par Pur Amour, Toi le Très-Haut, Toi le Suprême, Toi le Parfait en qui est manifestée la Plénitude de l'Amour et de la Liberté! Remplis les Cœurs, les corps et la conscience mentale de chacun de Tes enfants, de Ta Conscience de Pure Lumière qui Est la Conscience du Christ Vivant présent au-dessus de chacun d'eux! Amplifie en chacun le Désir de redevenir Toi-même et vois à ce que chacun accepte sans délai l'Instruction que Tu donnes, afin que Ton Éternelle Victoire de l'Ascension devienne pour eux une Réalité dès maintenant. Je Vous transmets les Salutations et les Bénédictions des grands Êtres Cosmiques, des Maîtres d'Ascension et des Anges de Lumière.

« Mes bien chers Amis, pour devenir la Plénitude de l'Amour que vous désirez voir se manifester dans votre vie, il vous suffit de vous tourner vers l'Unique Source de l'Amour dans l'Univers: Dieu l'Être Suprême I AM *Je Suis*. Nulle part ailleurs ne trouverez-vous cette Plénitude d'Amour et de Vie que tout être humain désire. Et, pour avoir accès à cet Amour Divin en Plénitude, vous devez devenir des êtres *Libres*. Oui, Libres de redevenir cette Lumière d'Amour contenue pour vous dans le Corps Transcendant de l'Être Suprême que vous êtes. C'est pourquoi, il est fondamental, à ce stade-ci de votre existence, que vous acceptiez et que vous preniez conscience de ceci: ce que les humains appellent amour est trop souvent quelque chose de bien différent de ce que Nous connaissons comme étant l'Amour Divin. Cet Amour Divin est cette Flamme de Dieu, cette Pure Lumière de Vie qui *donne* la Vie! L'Amour simplement humain, au contraire a plutôt tendance à prendre, à gaspiller la Vie, l'Énergie de Vie qui est la Lumière de Dieu qui se trouve dans vos corps. Ayant, Nous aussi été des humains comme vous, Nous savons exactement de quoi Nous parlons parce que Nous avons, Nous aussi, dû faire face aux mêmes difficultés qui sont celles des humains aujourd'hui.

« Vous savez, mes bien-aimés, c'est le moment pour vous de prendre bien conscience de ces choses au lieu de les ignorer et de les rejeter comme beaucoup l'ont fait dans le passé, se privant ainsi d'une Liberté et d'une

Vie où même la simple idée de souffrance et de limite n'existe pas. Maintenant, si les humains qui prétendent rentrer dans la Lumière de Dieu ne veulent absolument pas écouter et accepter ce que Nous leur disons, Nous qui avons atteint l'Éternelle Victoire sur la mort; alors, à ceux-là Nous devons leur dire qu'ils choisissent ainsi la souffrance et toutes les imperfections humaines, y compris les morts et les renaissances répétitives dans un monde humain. Par contre, ceux et celles qui écoutent – avec le Cœur – et qui accepteront ce que Nous disons par Pur Amour, eh bien ils et elles verront dans leurs corps la manifestation de cette Victoire qui est la Nôtre aujourd'hui.

« La notion de Pureté a été très mal comprise par les humains, car ils n'y ont vu qu'un concept moral. Or la moralité varie d'une époque à l'autre et d'un peuple à l'autre. La Pureté dont Nous parlons n'a rien à voir avec cela. La Pureté dont Nous parlons est la Nature même du Corps de Dieu, votre Être Suprême I AM *Je Suis*, un Corps plus Lumineux que cent mille Soleils! C'est cela la Pureté que vous devez désirer pour atteindre votre Ascension. Et cette Pureté Divine ne peut se manifester dans vos corps terrestres que si ceux-ci rayonnent progressivement de plus en plus de cette Éternelle Lumière de la Vie jusque dans votre corps physique. C'est pourquoi tout être humain qui désire devenir cette Plénitude de la Vie qui s'atteint seulement par l'Ascension en Dieu, tout être humain qui veut être Libre doit apprendre à conserver son énergie vitale et faire rayonner cette Énergie Divine dans les Centres du Cœur et de la tête et dans toutes les cellules. Au lieu de devenir émotionnel et passionnel, l'amour doit être divin, ce qui veut dire pure Lumière en expansion dans toutes les cellules de votre corps physique. Il ne s'agit donc pas de petites lois morales mais il s'agit de la Puissance de la Vie de Dieu-Lumière qui doit se manifester, rayonner et s'amplifier harmonieusement en vous et à travers vous, si du moins vous voulez retrouver votre Corps de Vie Éternelle.

« Je vous répète ceci intentionnellement, mes bien-aimés: la Pureté dont Nous parlons est la Nature même du Corps de Dieu, votre Être Réel, un Corps plus Lumineux que cent mille Soleils! La Pureté dont Nous parlons est la Substance même de cet Être, de Son Corps d'Éternelle Jeunesse, et vous êtes cet Être. Ayant par le passé gaspillé leur énergie émotionnelle et vitale, les humains doivent maintenant apprendre à la conserver, à la relever et à la rayonner. C'est pourquoi nous dirigeons constamment votre attention vers le Centre du Cœur afin que vous redeveniez des Êtres d'Amour Divin, rayonnant *paisiblement* cette Lumière de cent mille Soleils que vous retrouverez une fois pour toutes le jour de votre Ascension! D'ici là, il vous faut apprendre à réorienter votre énergie vitale vers les Centres Supérieurs, et cela se fait par votre pratique du Rayonnement amplifié de l'Amour Divin dans votre Cœur, par la Maîtrise de votre attention et par la consommation d'une nourriture toujours plus pure, en substance et en vibration. Vous pouvez trouver cela difficile. Néanmoins, par la pratique, vous atteindrez la Perfection Divine que vous recherchez et dont tout être humain sans exception a besoin pour atteindre *l'indestructible Bonheur* auquel tous aspirent, sans exception. Et ne vous laissez jamais décourager parce que vous n'êtes pas encore Maître de vos énergies vitales, de vos habitudes: persévérez, demandez, aimez, aimez, aimez Dieu et Sa Lumière en vous et avec vous et sachez que vos demandes et vos Appels doivent toujours recevoir leur réponse, quand vous êtes sincères et déterminés; et ce, en dépit de tout obstacle.

« Par ailleurs, sachez et ressentez que ces habitudes humaines n'ont rien à voir avec vous, avec votre Être Réel. Par contre elles doivent être purifiées, soyez-en certains! Dieu en vous et avec vous, le Suprême I AM Maître-de-Tout, est votre Victoire certaine! Il Est cet Amour, cette Puissance et cette Intelligence qui peut faire pour vous ce que vous ne pouvez pas faire pour vous-mêmes!

« Mes bien-aimés, je vous encourage à lire ou à relire et à pratiquer la merveilleuse Instruction donnée par le Grand Maître de Vénus dans le dernier chapitre du livre *Les Mystères dévoilés,* et qui concerne la pratique de l'attention sur les Centres Supérieurs et le Centre Coronal. C'est seulement quand suffisamment de Lumière Divine rayonnera dans les Centres du Cœur d'abord, puis de la tête ensuite, que cette Lumière Divine pourra aussi s'amplifier dans les éléments les plus terrestres du corps vital et du corps physique, c'est-à-dire, dans toutes les cellules de vos corps physiques.

« C'est pourquoi il vous est vivement recommandé de ne pas placer votre attention sur le plexus solaire (estomac) ni sur les deux centres du bas: parce qu'il y a beaucoup d'énergies obscures à purifier à ces endroits. Et pour cela Nous vous avons donné la pratique de la Flamme Violette de Transmutation dont le but est justement de purifier et transmuter ces énergies vitales et physiques afin que la Grande Lumière de Dieu puisse prendre possession de ces corps, et manifester votre Ascension; sans quoi, il vous faut revenir encore et encore, inlassablement attirés par les "énergies de mort". Cette compréhension est fondamentale, mes bien-aimés et il ne s'agit pas d'une opinion humaine, rappelez-vous-en; et détournez votre attention et vos oreilles de ceux qui cherchent à vous influencer et à vous dire que cela n'est pas vrai; si vous les écoutez, ils vous garderont dans leurs filets. Car ces gens-là ne sont aucunement intéressés à vous voir devenir des Êtres totalement Divins et Libres. Souvenez-vous-en, mes amis.

« À ceux et celles qui étudieront sincèrement Nos Instructions et qui s'efforceront de les mettre en pratique, à ceux-là Nous pouvons apporter une Aide et une Protection sans limite, indépendamment de vos difficultés actuelles. Et je me permets, mes chers amis, de vous rappeler ces paroles du bien-aimé Jésus: "Ceux qui m'aiment sont ceux-là qui mettent en pratique l'Enseignement que je leur donne." Notre Amour est pour vous, et d'autant plus proche et présent que vous mettez cette Connaissance Divine en action dans votre vie quotidienne, pour votre plus grand Bonheur et pour celui de tous. »

« De Soleil, il n'y en a pas dans cette Octave: tout brille, rayonne et irradie de l'inconcevable Lumière de Dieu en tout et en tous. »

Godfré Ray King

INSTRUCTION DE GODFRÉ RAY KING

- XII -

La Victoire de l'Ascension – "Je Suis avec vous jusqu'à la fin des temps" – Ce qui se trouve dans Notre Octave – Boire à cette Coupe d'Or Pur – Votre Ascension est la chose la plus fondamentale – Il n'est pas un obstacle qui puisse tenir devant cette Lumière.

Le 22 octobre 1993

e soir je désire vous entretenir de l'importance de l'Ascension; de ce qu'elle est; et pourquoi elle est si fondamentale pour vous aujourd'hui, qui résidez sur cette Planète. J'aimerais d'abord que vous compreniez clairement que faire son Ascension ne veut en aucun cas dire fuir le monde ou fuir ses responsabilités. Comme plusieurs d'entre vous le savent, la Victoire de l'Ascension est la Réalisation, l'Accomplissement Suprême qu'un être humain puisse atteindre. L'Ascension vous fait passer d'un état de limites, de dualités, de souffrances et de morts, à un État Glorieux dans le Corps Éternel de votre Être Suprême I AM *Je Suis*; alors, vous résidez avec Nous dans un Monde où tout n'est que Lumière, Splendeur et Vie en expansion perpétuelle. Personne n'a jamais et jamais ne pourra atteindre son Ascension dans un esprit de fuite ou d'irresponsabilité face à ses obligations terrestres. C'est pourquoi, entrer dans l'Octave des Maîtres d'Ascension n'est aucunement une fuite de votre monde humain; c'est au contraire l'accomplissement Suprême de votre Responsabilité face à l'Univers en tant qu'Être individualisé conscient d'être ce *Je Suis*. C'est l'obligation de tout être humain de redevenir un jour et pour toujours la Plénitude de l'Être que chacun Est. Tant que l'être humain n'a pas fait son Ascension, il demeure un Être limité dans l'Univers; et, par l'Ascension, toute imperfection humaine est consumée pour l'Éternité.

« Et ce n'est pas tout, mes bien-aimés. Lorsqu'un être humain atteint la Victoire de son Ascension dans l'Octave de Vie Éternelle qui est la Nôtre, il manifeste pour la Terre et son atmosphère, pour tous ceux qui restent, un surcroît de Lumière Divine qui ne fait alors qu'amplifier le mouvement général pour l'Ascension de tous! Par exemple lorsque Jésus a fait son Ascension sur la colline de Béthanie, Il a établi un Foyer puissant de l'Ascension dans la substance éthérique de cette Terre; ce Foyer Éblouissant est devenu un véritable Aimant pour l'Ascension des êtres humains. Ce Foyer est toujours actif et il le demeurera jusqu'à ce que les derniers aient fait eux aussi leur Ascension. Dans la phase occulte – avant 1938 – il y avait en moyenne une Ascension par siècle sur Terre. Maintenant – dans cette Nouvelle Dispense, il y en a quelques centaines, et ce nombre va en croissant! Pourquoi? Parce que de plus en plus d'êtres humains acceptent ce que Nous leur disons et le mettent en pratique. La Victoire de l'Ascension est donc un Service transcendant pour l'ensemble de l'humanité.

« Et il y a plus mes chers Amis! Je me souviens du temps où, il y a seulement quelques années, je me trouvais dans un corps physique limité. Bien que je recevais à ce moment-là une Aide extrêmement puissante des Maîtres d'Ascension, ce que j'avais à faire pour répandre cet Enseignement Divin sur Terre, était limité, ne serait-ce qu'à cause de la conscience physique de l'espace-temps.

« Maintenant, dans Nos Corps Éternels de Maîtres d'Ascension, le Service que Nous pouvons rendre pour les enfants de la Terre est pratiquement illimité, car Nos Corps ont cette prodigieuse faculté de se déplacer d'un endroit à l'autre à une vitesse impossible pour un corps humain ordinaire. Plus encore, Nous pouvons projeter des Multiplications de Nos Corps et agir simultanément en plusieurs endroits à la fois, que ce soit dans l'Octave Divine ou dans les plans terrestres. Nous pouvons déverser Nos Rayons de Pure Lumière pour la Protection, et l'Élévation de Nos étudiants. Nous pouvons remplir la conscience et les corps subtils de ceux et celles qui tournent leur attention et leur Amour vers Dieu et vers Nous. Nous pouvons Nous manifester instantanément dans votre octave terrestre si l'urgence Nous le demande.

« Il est une chose, cependant, que Nous ne pouvons jamais faire: et c'est d'interférer dans la vie, dans les choix et le libre arbitre de quiconque, à moins que vous Nous y invitiez. Alors, Nous pouvons intervenir dans vos vies pour vous aider sur le Chemin, mais Nous ne pouvons pas faire la route à votre place. Par contre, si vous rayonnez de plus en plus de Lumière, mois après mois, année après année, nous intervenons toujours pour vous éclairer, vous appuyer, vous protéger et vous encourager. Voyez-vous, mes bien-aimés, comment le fait d'atteindre son Ascension permet de multiplier le Service qu'un être humain peut rendre à l'Univers. Une autre fois je vous entretiendrai de la Loi Universelle de Service, car j'aimerais maintenant continuer avec le sujet de l'Ascension.

« Je suis certain que vous comprenez déjà

mieux ce que je voulais dire en expliquant que l'Ascension n'est aucunement une fuite de responsabilité, tout au contraire. Quand Jésus a dit "Je Suis avec vous jusqu'à la fin des temps", c'est exactement ce qu'Il voulait signifier: qu'Il n'abandonnerait jamais ceux qui L'aiment vraiment et qui recherchent avant tout le Royaume de l'Éternelle Lumière. Jésus est un Être d'une telle Beauté, rayonnant une telle Puissance d'Amour que moi-même je me sens toujours comme un enfant devant Lui; en fait Jésus est devenu pour moi un Frère aîné, réellement.

« Dans Notre Octave, le Monde Éternel du Suprême I AM *Je Suis*, se trouve la Plénitude de la Vie en abondance. La Nature est d'une Splendeur telle qu'on éprouve un Bonheur inconcevable chaque fois qu'on la regarde; les minéraux et les plantes sont totalement Lumineux. De Soleil il n'y en a pas dans cette Octave: tout brille, rayonne et irradie de l'inconcevable Lumière de Dieu en tout et en tous. La moindre fleur est comme un Soleil aux teintes multicolores.

« L'eau des ruisseaux est semblable à du cristal liquide saturé de millions de diamants éclatants. Les arbres sont des colonnes de Lumière vivante. Tout est la Vie et la Vie est en tout en Plénitude. L'atmosphère est remplie de l'éclatante Lumière de l'Éternel qui inonde l'espace de ses couleurs aux teintes multiples et subtiles. Nos Cités sont des Foyers de Lumière Éternelle. Nos édifices sont en pierres précieuses; l'Or est ici plus courant que le bois chez vous. La plupart des édifices sont faits de matériaux transparents qui ressemblent à du cristal, sauf que cette substance est Luminescente, autrement dit, elle rayonne perpétuellement sa propre Lumière. La nuit n'existe pas dans l'Octave des Maîtres d'Ascension mes Amis; ce serait impossible, car tout est Lumière, tout est saturé de Lumière et tout rayonne la Lumière. Et quelle Lumière! Et quelle infinie variété de tons, d'éclats, de formes, d'agencements, tant dans la Nature que dans Nos Cités! Telle est Notre Octave, votre Demeure Céleste, mes bien-aimés. Il ne s'agit pas là de contes ou de fables. Il s'agit de la Réalité de la Vie de Dieu et rien de moins!

« Vous rendez-vous compte, mes bien-aimés, que ce Pays Éternel est le vôtre, votre vrai Pays? Que votre Vraie Demeure est ici, dans l'Octave de la Pure Lumière de Dieu? Ici, la multitude des Êtres vit dans une Harmonie encore inconnue sur Terre aujourd'hui. C'est le Pays de Dieu, le Pays de la Vie et de la Création en éternelle expansion, le Pays de l'Éternelle Jeunesse. Et pour l'atteindre, il vous suffit de boire de jour en jour à cette Coupe d'Or

Pur qui contient le Nectar d'Immortalité, la Lumière d'Or Liquide qui descend de votre Corps Christique et se répand à partir de votre Cœur dans toutes vos cellules. Car c'est cette descente et cette expansion en vous et à travers vous de la pure Lumière Divine, qui conduisent à l'Ascension.

« Le ressentez-vous, mes Amis? Votre Ascension est ce qu'il y a de plus important pour vous à atteindre. C'est la chose la plus fondamentale pour un être humain: qu'un jour, sur son chemin de Vie, il puisse être mis en contact avec cette Réalité de l'Ascension! Pourquoi? Afin que tous ceux qui sont sincères puissent l'atteindre et que le monde de la souffrance, de la dualité et de la mort à répétition soit à jamais englouti dans cette Suprême Lumière qui Est la Vie. L'Ascension, c'est la fin de vos souffrances, mes bien-aimés, la fin de vos limites, la fin de l'illusion, la fin des déchirements humains, la fin de la maladie, des guerres et des famines qui ravagent cette humanité que Nous aimons tant.

« Songez-y! Il ne s'agit pas d'une petite affaire, ou d'un vœu pieux: il s'agit de l'atteinte pour l'Être humain de son éternelle LIBERTÉ dans un Corps d'Éternelle Jeunesse, dans un Univers d'une Splendeur Transcendante, où tout n'est que la Victoire de l'Amour de Dieu en action et en expansion en tout et en tous! C'est pourquoi, l'important pour vous à ce stade-ci, est de focaliser avec constance votre attention Aimante et Paisible sur l'Être Suprême présent en vous et au-dessus de vous, afin que Sa Lumière inonde vos corps mental, vital et physique et que vous entriez dans cette même Victoire qui est la Nôtre aujourd'hui, une Victoire Éternelle, mes amis.

« Je vous encourage à lire ou à relire et méditer ce passage à la fin du huitième chapitre du livre *Les Mystères dévoilés* dans lequel j'ai décrit l'Ascension de David Lloyd au Mont Shasta. Ce fut pour moi l'expérience la plus colossale et la plus puissante de toute ma dernière existence. C'est une expérience inoubliable de toute Éternité. Vous aussi, vous pouvez atteindre cette même Victoire, si vous la désirez. N'en doutez pas un seul instant car ce sont justement ces doutes qui vous priveraient de votre Liberté. Sachant que vous êtes véritablement une Individualisation de l'Être Suprême I AM *Je Suis*, vous n'avez plus aucune raison valide de douter de la Vérité de l'Ascension et de la possibilité que vous avez de l'atteindre dans cette existence, dans la mesure où vous le voulez vraiment et où vous passez à l'action dans votre vie pour amplifier le Rayonnement de cette Suprême Lumière. Il n'est pas un obstacle qui puisse tenir devant cette Lumière, mes bien-aimés, pas un! Pas un problème qui ne puisse être solutionné par cette Suprême Lumière, pas un!

« Pensez-vous que votre Corps Christique, l'Intelligence Suprême de l'Univers, qui est constamment raccordé à votre corps physique, ne puisse résoudre vos problèmes et en consumer toutes les causes et leurs conséquences, afin de vous donner cette Liberté qui est la Nature originelle et éternelle de Dieu, votre Être Réel? Cet Être fera *tout* pour vous quand vous le Lui demandez et quand vous Lui démontrez que vous êtes sincères et vrais dans votre Désir pour Sa Lumière et Sa Divine Perfection, ce qui implique la rectification du moi humain personnel. Alors Nous aussi, et les Grands Êtres Cosmiques et les Anges de Lumière pouvons faire énormément pour vous. Seulement, vous devez développer un Amour vrai, entretenu et amplifié pour la Pure Lumière de l'Être Suprême qui est dans vos Cœurs, en vous et au-dessus de vous; et rejeter tout ce qui n'est pas la Pureté de cette Lumière qui est la Vie, Pure, Cristalline, Luminescente, l'Intelligence de Dieu le Suprême dans votre Cœur, dans toutes vos cellules et dans vos corps subtils.

« Notez bien ceci, mes bien-aimés. Quand je vous dis que cet Être Suprême est dans votre

Cœur et au-dessus de vous, cela ne veut pas dire, à l'extérieur de vous. Pourquoi? Parce que, bien qu'étant effectivement au-dessus et au-delà de votre corps physique, la Présence de votre Être Suprême I AM *Je Suis* se trouve dans Son Octave Éternelle, et que ce Monde Divin est un Monde intérieur, la Source de vos mondes terrestres. Ainsi, vous pouvez comprendre que c'est le moi humain personnel qui s'est extériorisé des Mondes Célestes. En fait vous n'êtes pas séparés de Dieu, votre Être Suprême; vous vous en êtes seulement dissocié. Et par la Victoire de l'Ascension, vous vous associez à nouveau à Lui pour toujours, en Conscience, en Substance et en Corps!

« Savez-vous quel est le plus profond Désir de tous les Maîtres d'Ascension? C'est de vous voir vous aussi vous diriger vers votre Victoire et atteindre votre Éternelle Liberté, l'Ascension dans Notre Octave de Vie Éternelle, l'Octave de l'Être Suprême I AM *Je Suis!* La Flamme et la Lumière de mon Amour sont toujours avec vous et pour vous, jusqu'au moment de votre Victoire Finale. »

Document

Le cas vécu de mademoiselle Allbright

Ce texte – publié pour la première fois aux Éditions du Nouveau Monde en 1993 – est une traduction fidèle d'un document dactylographié en ma possession depuis plusieurs années. Ce texte remarquable, et qui n'avait jamais été publié auparavant, est l'histoire vécue d'une femme qui était infirmière durant les années 1914-1918, et qui, après être arrivée en Amérique a, un beau jour, été conduite à rencontrer Godfré Ray King et sa femme, Lotus, qui donnaient, alors, une Classe à New York.

L'Enseignement contenu dans ce texte, la puissance de sa simplicité et la force de son authenticité en font un document remarquable sur l'intervention directe du bien-aimé Maître d'Ascension Saint Germain dans les affaires humaines. Ces Êtres n'interviennent directement dans la vie et les affaires des individus que lorsque ceux-ci deviennent suffisamment purs et remplis d'altruisme et de compassion immotivée envers leurs semblables.

La Foi, la compassion, l'abnégation, la détermination indépendamment des apparences – même épouvantables – et la pureté intérieure de mademoiselle Allbright lui ont permis de voir l'assistance que "ce très très beau Docteur" a pu donner, aux autres d'abord, et à elle-même ensuite. Que ce texte unique nous apporte ce pourquoi, il est publié ici, aujourd'hui.

(Le texte qui suit a été rédigé et signé par monsieur Perry Beauchamp).

'expérience qui suit, telle que rapportée ici, a été vécue et m'a été racontée par mademoiselle Allbright, originaire de Budapest.

Mademoiselle Allbright habitait New York au moment où nos Messagers bien-aimés (Godfré Ray King et Lotus) donnaient une Classe sur l'Enseignement du I AM *Je Suis* au Temple la Mecca à New York. Et l'Instruction de chaque Classe était radiodiffusée pendant trente minutes. Mademoiselle Allbright avait écouté la radio, et elle était venue [à la Classe], espérant pouvoir parler à madame Ballard (Lotus). Mais comme il n'y avait pas eu de rendez-vous, elle ne put voir madame Ballard tout de suite. Alors, mademoiselle Allbright dit: "Je sens que je devrais vous raconter une partie de ce dont je désire parler à madame Ballard. Je n'ai jamais parlé de cette expérience auparavant". Elle commença.

« Durant la première guerre mondiale je servais comme infirmière. On m'avait envoyée près du front, dans un édifice qui servait d'hôpital. Les hommes blessés et les mourants gisaient çà et là sur le sol, et les chats et les rats mangeaient sur eux. Le tout était dans une condition épouvantable, et l'odeur putride de l'endroit était intolérable. Je n'avais aucune aide, pas de nourriture, pas d'équipement et pas de médicaments pour les hommes, et je ne savais pas quoi faire. J'étais là, ahurie; je me mordis les lèvres, et je dis: "Ô Dieu! S'il y a un Dieu! Certainement, il faut faire quelque chose pour ces hommes!"

« En me retournant, je vis qu'il y avait là un Docteur, très très beau, et il dit: "Très chère, puis-je vous être utile?" Je répondis: "Oh oui, Docteur! J'ai besoin de tout pour ces hommes. Ils vont tous mourir si on ne m'aide pas immédiatement. J'ai besoin de lits! J'ai besoin de nourriture! J'ai besoin de pansements et d'autres fournitures! J'ai besoin de docteurs! J'ai besoin d'infirmières! J'ai besoin de médicaments!" Ce magnifique et beau Docteur ne fit que sourire et dit: "Non, nous n'utilisons pas de médicaments."

« "Mais, dis-je, il me faut des médicaments pour leurs injections afin d'arrêter leur douleur". Je dis: "Docteur, ils vont tous mourir." Et, en marchant, je pointais du doigt vers quelques hommes en disant: "Ils vont mourir." Et il dit: "Non, ils ne mourront pas. Ils vont tous aller très bien."

« Tout en marchant, je remarquais que tout l'hôpital sentait maintenant comme des Roses. Et, avant de partir, il dit: "Je vais voir ce que je peux faire pour vous aider." Il me demanda si j'aimais être infirmière, et je lui dis que oui, si seulement j'avais quelque chose pour travailler. À ce moment précis, les hommes gisaient par terre, dans des conditions épouvantables. Mais vingt-quatre heures après le passage de ce magnifique et beau Docteur, chacun des hommes était dans son lit, de beaux lits à trois étages placés le long des murs. Je ne sais pas comment toutes ces choses sont entrées là, mais elles étaient là. Et les hommes firent des remarques à propos des murs, du plancher et du plafond qui *paraissaient tous violets*.

« Lors de la visite suivante de ce Docteur, je remarquai qu'il avait une grosse barbe foncée. Comme je le regardais, je n'aimais pas cela. Il ne fit que sourire, et ne dit rien. Quand il revint, il n'avait plus de barbe. Ensuite, chaque fois que ce superbe et beau Docteur était là, les hommes parlaient de l'apparence violette des murs, du plancher et du plafond, et de l'hôpital qui sentait les Roses pendant des jours après sa visite. Finalement, après plusieurs jours, les docteurs 'réguliers' et leurs quinze ou vingt assistants arrivèrent. En rentrant, ils donnèrent des ordres afin d'opérer les hommes. Les hommes se mirent à vociférer et dirent: 'Nous ne voulons pas être opérés. Nous voulons nos vêtements!'

« Les docteurs et leurs assistants voulaient savoir ce qui se passait avec les hommes, et ce qui était arrivé. Les hommes répondirent: "Il y a eu un autre Docteur ici, et nous sommes tous guéris." Et ils exigèrent leurs vêtements. Les docteurs et leurs assistants examinèrent les hommes. À leur grande surprise, ils découvrirent que les hommes étaient tous guéris et prêts à rentrer chez eux. Alors, les docteurs voulurent en savoir davantage au sujet de ce superbe et beau Docteur. Ils questionnèrent les gardes qui étaient à l'entrée. Et les gardes déclarèrent qu'aucun Docteur n'était entré ici. Je leur répondis: "Un Docteur est venu ici, et la preuve, c'est que les hommes sont tous guéris." Et je demandai aux gardes: "Comment les lits et les fournitures sont-ils entrés ici?" Et aucun d'eux ne savait quoi que ce soit à ce sujet. Je dis encore: "Je ne sais pas comment ce Docteur est entré ici, et je ne sais pas comment il est sorti d'ici, mais je sais absolument qu'il était ici, et les preuves ne manquent pas!" Ils étaient ébahis, mais ils reconnurent que ce même Docteur était également allé dans d'autres hôpitaux.

« Une fois, après la visite de ce superbe et beau Docteur, alors que je sortais, je rencontrai une infirmière. D'un air tout surpris, elle recula, et me regarda avec un profond étonnement. Je lui demandai pourquoi elle agissait ainsi. Elle me répondit: "Il y a une grande Lumière autour de vous. Ne la voyez-vous pas?" Je lui répondis que non, et elle ne dit rien d'autre. »

« Tandis que mademoiselle Allbright me racontait cette expérience, nous étions debout dans le hall d'entrée du Temple la Mecca [à New York]. En se retournant, elle regarda par la porte, vers l'estrade, et elle vit l'image de notre bien-aimé Maître Saint Germain. Elle pointa l'image du doigt, et dit: "Voilà le portrait de ce superbe et beau Docteur, sauf qu'il est bien plus beau que sur l'image. Et ses vêtements étaient si beaux! La dernière fois que ce superbe et beau Docteur vint à l'hôpital, il me dit": "Lorsque vous aurez terminé votre service, qu'aimeriez-vous faire?" Je répondis: "Aller en Amérique." Il sourit et il dit: "Aller en Amérique?", mais il n'en parla plus. Il ajouta: "Si vous avez besoin d'aide, appelez-moi, et je vous aiderai." Et je dis: "Comment pourrais-je vous appeler? Je ne connais même pas votre nom!" Il ne répondit pas, et ne fit que sourire.

« Alors, quand mon service fut terminé et que j'étais à nouveau chez moi, un jour, un très bel homme vint me voir et dit: "Avez-vous dit que vous vouliez aller en Amérique?" Je répondis: "Oui!" Il dit: "Comment voudriez-vous voyager?" Je répondis: "En deuxième classe." Il dit: "Avez-vous des amis ou de la famille en Amérique?" Je répondis: "Oui, mais je ne sais pas où ils sont." Il partit, et, quand il revint, il me remit une enveloppe. Elle contenait un billet de seconde classe pour New York, ainsi que les noms et adresses de mes proches à New York. Le temps de me préparer, et je vins ici, et c'est ici [à New York] que je vis depuis lors. Aujourd'hui, en écoutant la radio, j'ai ressenti que je devais venir ici. Je n'ai jamais raconté cette histoire à personne avant aujourd'hui. J'ai ressenti que je devais vous la raconter, et j'espère pouvoir rencontrer madame Ballard. »

Elle prit rendez-vous, et elle put voir madame Ballard. Après que mademoiselle Allbright eut fini de me raconter cette expérience – c'était juste avant la Classe du soir – je pus en parler à Alta (madame Beauchamp) et à Alice Bell tel que je le rapporte ici. Il y eut un éclair de Lumière qui descendit d'En-Haut, ce qui était certainement un signe de notre bien-aimé Maître d'Ascension Saint Germain que *cela était vrai.*

Quelques semaines plus tard, j'eus l'occasion d'en parler avec monsieur et madame Ballard (Godfré Ray King et Lotus). Godfré me dit que mademoiselle Allbright lui avait raconté l'histoire de la même manière qu'à moi. Environ un an plus tard, on me demanda de raconter cela à un public d'environ trois mille personnes. Il y avait dans la salle deux hommes qui se trouvaient à Budapest durant la [première] guerre. Ils ont raconté qu'un rapport de cet événement avait été publié par les journaux de Budapest, et que les gardes avaient été cités à leur procès pour ne pas avoir su comment le Docteur [en question] entra dans l'hôpital!

Signé: (Perry Beauchamp)

Sur la Fraternité des Maîtres d'Ascension

par

Marc Saint Hilaire

La Fraternité des Maîtres d'Ascension et des grands Êtres Cosmiques

ui, les Maîtres d'Ascension sont des Êtres réels, vivants et totalement Divins. C'est-à-dire que leurs Corps sont constitués de la Pure Lumière de Dieu, la Présence de l'Être Suprême individualisé, I AM *Je Suis*. Ils sont la conscience cosmique de cet Être Suprême en action, à leur point de manifestation. Ces Êtres de pur Amour ont déjà été des humains comme nous, et Ils ont foulé le sol de cette planète, de laquelle Ils ont gagné leur Victoire sur toutes les limites du moi humain mortel, y compris la Victoire sur la mort elle-même. Ils ont triomphé de la *nécessité* de se réincarner encore et encore dans des corps limités et mortels en devenant, par leur effort et leur détermination, la Plénitude de l'Amour Divin en action, la Lumière du Christ en action. Ils sont passés de l'octave physique duelle, à l'Octave de Dieu-le-Suprême, avec Lequel Ils sont redevenus UN pour toujours, en Conscience, en Substance et en Corps.

Ils ont des Corps d'Éternelle Jeunesse qui transcendent l'espace et le temps tels que les humains les connaissent. Ces Maîtres d'Ascension bien-aimés ne sont pas des 'esprits', ni des entités ni des 'guides' de l'astral. Ils ne se manifestent jamais par médiumnité, par spiritisme ou par 'channeling'. Et le seul passeport pour accéder à ces Êtres merveilleux et à cette Octave de Vie éternelle est, d'une part, d'Aimer, d'adorer et d'honorer sans réserve la Présence Suprême de Dieu, Celui-qui-Est; et, d'autre part, de rectifier le moi humain mortel, le petit ego, afin que la Splendeur de la pure Lumière divine rayonne constamment dans et à travers l'individu.

Les grands Êtres Cosmiques sont, habituellement, des Êtres beaucoup plus Anciens que l'humanité de cette Terre. Ce sont des Êtres dont la transcendance d'Amour, de Puissance créatrice et d'Intelligence dépasse tout ce que l'humanité pourrait même concevoir de plus élevé. Ces Êtres glorieux sont les Créateurs des Univers et les Parents de notre humanité dont Ils sont les gardiens éternels.

Tous les Êtres divins - les grands Êtres Cosmiques, les Maîtres d'Ascension et les hiérarchies angéliques - qui œuvrent pour la Libération de cette planète et de son humanité, forment *La Fraternité Éternelle.* Cette Fraternité n'a aucune organisation terrestre extérieure. Le seul et unique moyen de s'associer à cette Fraternité toute divine est de s'engager fermement et sincèrement vers l'Union avec le Soi Suprême, *Je Suis.*

Toute personne qui le désire peut demander l'assistance de la Fraternité en tournant son attention vers Dieu, en elle et avec elle, et ensuite, vers ces Êtres bien-aimés. Les étudiants et les disciples des Maîtres d'Ascension ne se laisseront pas prendre par ceux qui, aujourd'hui, récupèrent les noms de ces Êtres divins, ou qui même en inventent de toutes pièces. Ces faux prophètes ont été annoncés plusieurs fois par le bien-aimé Jésus, voilà deux mille ans.

Voici les Noms de quelques-uns de ces Êtres, en relation avec l'œuvre du bien-aimé Saint Germain dans le monde.

Le bien-aimé Jésus. Il a manifesté la Présence du Christ Cosmique dans un corps terrestre. Il est celui qui a ouvert la porte de l'Ascension pour l'humanité actuelle. Il est le Frère aîné de tous les aspirants à l'Ascension.

Marie, la mère de Jésus. Elle a fait son Ascension quelques années après son fils. Elle exprime la Perfection de l'aspect maternel de l'Être Suprême.

Le Maître d'Ascension Saint Germain. Il est en charge de l'Enseignement sur la Présence du I AM *Je Suis* pour la Terre depuis 1930, et le restera pour toute la durée du prochain cycle.

Godfré Ray King. Né Guy W. Ballard, à Newton (Kansas). Il fut George Washington, père de l'indépendance des États-Unis d'Amérique. Il a complété son Ascension le 29 décembre 1939 à Los Angeles après avoir, pendant huit années, répandu les Instructions d'origine des Maîtres d'Ascension avec l'aide puissante de la Fraternité.

David Lloyd. Né à Londres. Il a atteint son Ascension le 16 octobre 1930, au Mont Shasta en présence de Godfré Ray King (voir le chapitre 8 du livre *Les Mystères dévoilés*).

Lotus Ray King. Née Edna Wheeler. Elle est la compagne éternelle de Godfré. Elle a complété son Ascension le 13 février 1971.

Sanat Kumâra. Cet Être Cosmique est aussi connu comme l'Ancien des Jours. Il s'est offert, il y a quatre millions et demi d'années, de venir sur Terre pour sauver l'humanité déchue et rétablir la Flamme de Vie éternelle dans tous les Foyers des gens de la Terre. Son Nom signifie 'Enfant éternel'.

Victory. C'est le grand Maître de Vénus (octave spirituelle de Vénus) dont il est question dans le dernier chapitre du livre *Les Mystères dévoilés*. Il est l'expression accomplie de la Victoire sur toutes limites humaines, la plénitude de la Conscience vivante de l'Ascension.

Il y a, bien entendu, beaucoup d'autres Êtres dans la Fraternité éternelle. Seuls quelques-uns, directement reliés à l'Œuvre du bien-aimé Godfré Ray King, ont été mentionnés ici. *Actuellement, la Fraternité cherche à tourner l'attention du plus grand nombre possible d'êtres humains vers la Présence de l'Être Suprême individualisé I AM Je Suis, afin que ceux qui le veulent puissent rayonner la plus grande et la plus pure Lumière possible* durant cette phase délicate de l'évolution de cette planète.

C'est par le contact du Cœur, par l'aspiration du Cœur et par le rayonnement du Cœur qu'il est possible d'attirer l'attention d'un Maître d'Ascension. Quand l'aspirant ou l'étudiant est déterminé à servir uniquement le côté constructif et Divin de l'existence, et à se corriger de ses faiblesses humaines personnelles, alors, le Maître d'Ascension déversera une aide et une protection toujours plus grandes. La Purification du moi personnel à tous les niveaux (mental, émotionnel, vital et physique) est indispensable. Et cette Application demande constance, sincérité, détermination, et un Amour inconditionnel pour la Présence de Dieu le Suprême.

Progressivement, l'ego humain doit se fondre dans le Feu de l'Amour Divin qui inonde le Cœur, puis toutes les cellules, toute la substance et toute l'énergie de la personnalité.

Alors, l'individu se qualifie pour son Ascension.

Seul un Maître d'Ascension peut transmettre à un humain la conscience vécue et ressentie de la Victoire de l'Ascension, la Victoire sur la mort, car Il a lui-même gagné cette Victoire Suprême de la Vie sur le cycle interminable de la souffrance et de la mort.

La Grande Fraternité des Maîtres d'Ascension et des grands Êtres Cosmiques veille sur tous, et elle protège particulièrement les siens, ceux et celles qui veulent devenir la Plénitude de la Suprême Présence de Dieu I AM *Je Suis,* indépendamment de leur situation actuelle.

Les Maîtres d'Ascension sont les infaillibles Instructeurs de l'humanité, car Ils sont UN en substance, en Conscience et en Corps avec la Présence de l'Être Suprême originel, Celui-qui-Est. Ce Nom *Je Suis* fut communiqué à Moïse sur le mont Sinaï. Ce Nom[1] יהוה est inscrit dans la Tora (le Pentateuque), et il y apparaît à de multiples reprises (1526 fois) dans le texte hébreu ordinaire. C'était LE NOM secret par excellence, et sa prononciation était interdite.

Avant le début de la Nouvelle Dispense en 1936-1938, c'est-à-dire durant la phase occulte, il y avait en moyenne une Ascension par siècle à partir de la Terre. Depuis 1938, ce nombre est passé à plusieurs centaines par siècle, et ce nombre va sans cesse croissant. Dans cette Nouvelle Dispense, il est possible d'atteindre l'Ascension en laissant sur Terre les éléments non purifiés du corps physique. L'Ascension se fait alors dans le corps éthérique qui intègre les éléments purifiés du corps physique. Les corps terrestres purifiés fusionnent alors dans le Corps Christique, et ensemble ils s'élèvent dans le Corps Glorieux de la Présence individualisée de l'Être Suprême I AM *Je Suis* cet Être!

Les Êtres Créateurs

"Au commencement Elohim ont créé le ciel et la terre[2]*."* Le mot Elohim est un mot pluriel traduit dans les Bibles courantes par un singulier... Les Maîtres d'Ascension expliquent clairement que les Elohim sont de grands Êtres Cosmiques créateurs au nombre de sept. Ils sont Dieu en action! Voici leurs Noms selon l'ordre des sept Rayons:

1. Elohim Hercules (Rayon bleu)
2. Elohim Cassiopea (Rayon jaune)
3. Elohim Orion (Rayon rose)
4. Elohim Pureté (Rayon blanc)
5. Elohim Cyclopea (Rayon vert)
6. Elohim Pax ou Paix (Rayon or)
7. Elohim Arcturus (Rayon violet)

Les Archanges et les Anges de Lumière

Parmi les Archanges, mentionnons L'ARCHANGE SAINT MICHEL qui a un rôle fondamental de protecteur de l'humanité. Il est à la tête d'une multitude d'Anges qui agissent partout pour nettoyer l'atmosphère astrale de cette planète... Les Anges de Lumière sont des Associés des Maîtres d'Ascension. La plupart d'entre eux n'ont jamais choisi l'incarnation dans un corps physique, et c'est pourquoi ils ne peuvent pas instruire les humains sur l'Ascension. Les Anges de Lumière agissent constamment pour protéger, purifier et guider l'humanité vers les Mondes éternels de l'Être Suprême. Il est important de comprendre que ni les Anges ni les Archanges ne peuvent transmettre à un humain la Conscience vécue et ressentie de la Victoire de l'Ascension. Seul un Maître d'Ascension peut faire cela, car Il a Lui-même vécu la Victoire de l'Ascension, et cette Conscience fait partie intégrante de Son Être.

La fonction actuelle de cette glorieuse Fraternité Divine est d'aider les humains à se purifier de tout karma discordant afin que chacun, par son Application, sa Sincérité et sa Détermination reçoive et rayonne toujours plus la pure Lumière de Dieu, et gagne enfin cette Victoire Suprême qui est le retour de l'humain mortel à l'état divin pour toujours: *l'Ascension dans le Corps d'Éternelle jeunesse de la*

Présence de l'Être Suprême I AM 'Je Suis'. Alors, le cycle douloureux des morts et des renaissances est définitivement vaincu.

Notes:

1. Ces quatre lettres hébraïques se lisent donc de droite à gauche pour former le Nom Divin *Yaweh* (transcription incertaine), et qui signifie *Je Suis Celui qui dit Je Suis,* ou encore, *Je Suis Celui qui Suis,* ou encore, *Je Suis l'Être,* ou tout simplement *Je Suis.* Ceci n'a rien à voir avec la Kabbale hébraïque qui, elle, appartient à l'occulte.

2. C'est le premier verset de la Genèse, ou, en hébreu, le *Livre du Principe, du Commencement.*

Se nourrir pour la Vie

par

Marc Saint Hilaire

ans le processus qui conduit à l'Ascension, la purification des quatre corps terrestres est indispensable. Le mental, l'émotionnel, le désir et le physique s'interpénètrent et s'influencent mutuellement. Une pensée, une mémoire, déclenche un sentiment, un désir, éventuellement une émotion. L'émotion induit une réaction physiologique, généralement au niveau des glandes endocrines. Tout le monde sait que le simple souvenir d'une situation antérieure peut facilement déclencher une émotion qui, elle-même, induit une réaction physique plus ou moins intense et durable selon la nature de l'émotion.

Ainsi une simple pensée peut provoquer un mal de ventre, un serrement de gorge, une douleur d'estomac, une tension ou, si l'émotion est harmonieuse, elle s'exprimera par un grand bien-être physique, une sensation de grande légèreté, de souplesse et de force. Une émotion discordante, une simple peur, une irritation, un doute suffit pour déstabiliser le fonctionnement harmonieux du corps physique. Pareillement, un sentiment harmonieux d'Amour divin – la pure Lumière en action –

manifeste dans le corps dense bien-être, vitalité et santé.

Si le mental, les sentiments, les désirs et les émotions ont une influence constante sur le corps physique, ce corps a lui aussi une énorme influence sur nos états émotifs et mentaux. On ne saurait trop souligner l'importance du corps physique dans le chemin qui conduit à la Lumière de Vie. On évitera cependant de tomber dans l'extrême qui consisterait à dire ou à penser que le choix d'une bonne nourriture est ce qu'il y a de plus important. Cette approche est erronée. Par contre, arrive un moment où, sur le chemin qui conduit à l'Ascension dans le Corps de l'Être Suprême, la qualité des aliments est très importante.

Quand on parle de nourriture, les gens semblent réagir presque toujours de façon émotionnelle: les humains sont encore très attachés à ce qu'ils mettent dans leurs estomacs. Essayez de demander à quelqu'un d'abandonner un certain aliment dont il a l'habitude de se nourrir; même si vous avez les preuves scientifiques et statistiques que cet aliment (viande rouge, par exemple) est nuisible pour sa santé et celle de ses enfants, il réagira presque toujours automatiquement comme si vous vouliez lui arracher ce qu'il a de plus cher et de plus précieux sur Terre! Ce n'est là qu'une emprise du corps vital dense sur le corps du désir et sur le mental: même l'élémentaire bon sens ne parvient pas à prendre le dessus. Il est clair que le corps vital dense et tous ses désirs doivent être transmutés par la Suprême Lumière de Dieu, et spécialement par la Lumière amplifiée du Cœur et la Flamme de Transmutation.

L'Instruction des Maîtres d'Ascension concernant l'élimination des chairs animales de l'alimentation humaine est claire, directe et s'appuie sur des principes totalement scientifiques et non pas sur quelque idée de vague philosophie ou une espèce de mode. La relation entre la consommation de viandes rouges et différentes formes de cancer n'est plus à faire aujourd'hui: c'est une évidence prouvée, établie, incontestable.

Les ravages provoqués par l'élevage d'animaux de boucherie à la grandeur de cette Planète ne sont plus à démontrer; la consommation de chairs animales et l'usage des produits chimiques de synthèse dans les sols et les aliments constituent un fléau mondial pour la santé des individus et pour la santé de la planète entière. Parallèlement, on entretient le mythe honteux de la faim dans le monde qui serait le résultat de la surpopulation: cela n'est pas vrai. On pourrait nourrir dix à vingt fois plus de personnes sur cette merveilleuse Planète en cultivant fruits, céréales, légumineuses et autres plantes sur les terres aujourd'hui consacrées à nourrir de pauvres animaux innocents qui finiront à l'abattoir. Inutile de s'étendre davantage sur ce sujet d'importance puisque monsieur John Robbins l'a fait mieux qu'aucun autre dans son excellent livre *Se Nourrir sans faire souffrir*[1]. Il va de soi que la lecture de ce livre est à recommander à tout être humain. Et bien entendu, la seule lecture ne suffit pas...

Rappelons simplement l'Instruction Éternelle de Dieu-le-Suprême à Ses enfants: «Tu ne tueras pas!» Évidemment, ils ont encore interprété l'Instruction d'origine – en laissant l'estomac parler – disant que cela ne s'appliquait pas aux animaux. Erreur! La Conscience Christique sait et dit à ceux qui L'aiment ce qui est favorable et ce qui est défavorable. L'ordre Cosmique de ne pas tuer s'applique aux humains et aux animaux. Quant aux plantes, quand on cueille un fruit avec Amour et Reconnaissance on ne le tue pas; on lui évite plutôt de pourrir sur place et surtout, on lui permet de participer au Plan divin pour lequel il a été créé par Dieu-Elohim.

La Terre redeviendra un jardin; l'eau retrouvera sa cristalline Pureté d'antan et chantera encore; l'atmosphère sera purifiée de ses miasmes astraux et elle illuminera tout; les biches, les gazelles et les colombes joueront avec nous dans les prairies en fleurs; l'herbe sera vivifiante et lumineuse; les arbres seront heureux et pleins de force; les rochers seront étincelants comme l'or lui-même; les poisons chimiques, les engrais qui brûlent et qui tuent auront disparu. Chaque être humain affichera un sourire radieux et tous les enfants de la Terre se nourriront de la vraie Lumière de Dieu qui aura inondé à nouveau la Nature et les corps de sa Rayonnante et Pure Beauté pour toujours.

Note 1: Éditions Stanké, Montréal.

Ouvrages déjà publiés aux
Éditions du Nouveau Monde

Les Mystères dévoilés, Godfré Ray King. 280 pages.

Godfré Ray King: L'Ascension dans la Lumière, présentation de Marc Saint Hilaire. 144 pages.

Le manuscrit de Galba, présentation de Marc Saint Hilaire. 72 pages.

Ces livres sont disponibles dans toutes bonnes librairies. S'ils ne sont pas sur les tablettes, il suffit de les commander directement à votre libraire.

Pour recevoir, sans frais ni engagement, une liste exhaustive des livres ainsi que le document "*Godfré Ray King et les Maîtres d'Ascension*", il suffit d'en faire la demande par le courrier à l'adresse suivante:

ÉDITIONS DU NOUVEAU MONDE
185, rue St-Ignace – La Pérade, Québec – G0X 2J0

Renaître à la Lumière

Cours pratique
Pour appliquer l'Enseignement d'origine

L'Enseignement d'origine des Maîtres d'Ascension transmis par Godfré Ray King, est diffusé depuis 1934 en Amérique du Nord.

Il est désormais possible, où que vous viviez (en France ou ailleurs), de recevoir l'Enseignement non faussé sur la Présence du Suprême I AM *Je Suis*.

Pour obtenir, sans engagement, la documentation qui décrit le contenu et les détails du Cours pratique *Renaître à la Lumière*, il suffit d'en faire la demande par le courrier à l'adresse correspondant à votre lieu de résidence.

Les Éditions du Nouveau Monde ne sont associées à aucune organisation extérieur, à aucune église, à aucune religion ni aucun mouvement.

Québec, Canada
2005